Scéilín ó Bhéilín

Scéalta Traidisiúnta don Aos Óg

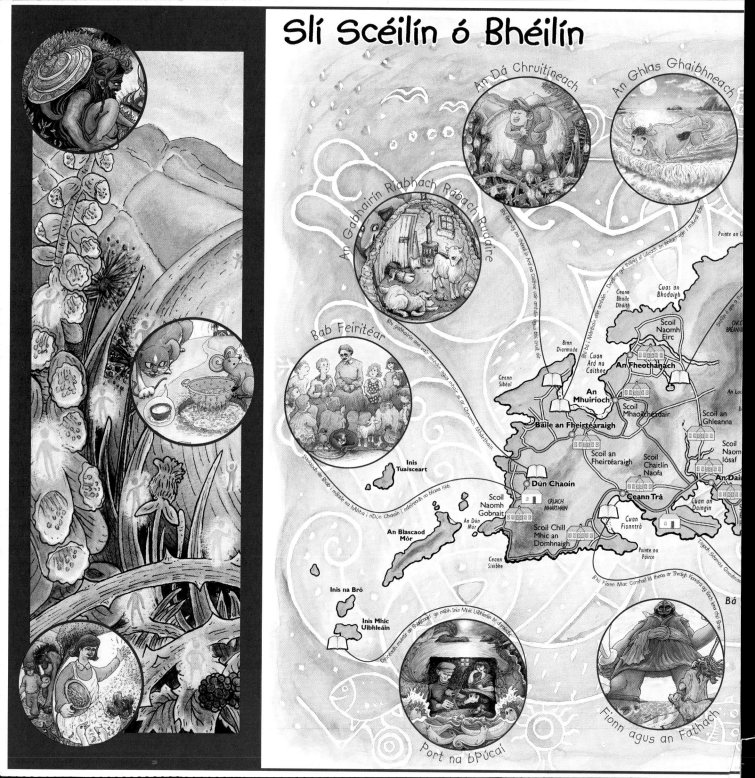

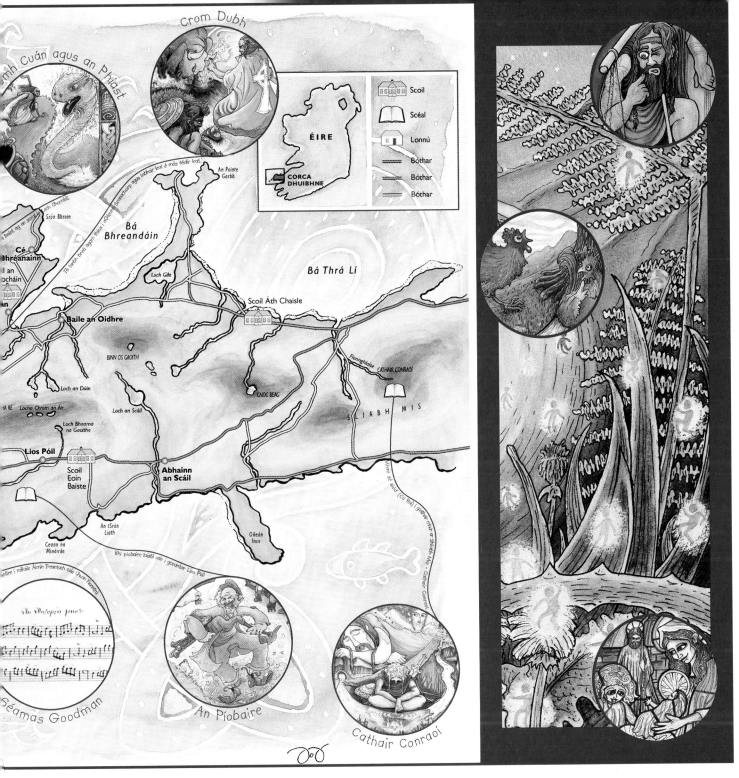

Crom Dubh

...mh Cuán agus an Phiast

ÉIRE

CORCA DHUIBHNE

Scoil
Scéal
Lonnú
Bóthar
Bóthar
Bóthar

An Pointe Garbh

Loch Chorráil

Srón Bhroin

Cé Bhréanainn

Bá Bhreandáin

Loch Gile

Bá Thrá Lí

Baile an Oidhre

Scoil Áth Chaisle

BINN OS GAOITH

Fionnghlaise CATHAIR CONRAOÍ

Loch an Dúin

CNOC BEAG

A RÉ   Locha Chrom an Áir

Loch an Scáil

SLIABH MIS

Loch Bhearna na Gaoithe

Lios Póil

Abhainn an Scáil

Scoil Eoin Baiste

An tSrón Liath

Oileán Inse

Ceann na Mináirde

Bhí píobaire baistí uair í gceantar Lios Póil

...fíre í mBaile Aimín Treantach cois chuan Fiannlíra

Séamas Goodman

An Píobaire

Cathair Conraoí

Do
Bhab Feiritéar
anamchara an Togra Bhéaloidis!

Scéilín ó Bhéilín

Scéalta Traidisiúnta don Aos Óg

Roibeard Ó Cathasaigh a stiúraigh is a chuir in eagar i gcomhairle le Meitheal Stiúrtha An Togra Bhéaloidis i mBunscoileanna Chorca Dhuibhne

Stiofán Ó Cuanaigh a léirigh an dlúthdhiosca

Dómhnal Ó Bric a mhaisigh

Aonad Forbartha Curaclaim
Coláiste Mhuire Gan Smál
Ollscoil Luimnigh

Oidhreacht Chorca Dhuibhne
Baile an Fheirtéaraigh
Co. Chiarraí

MEITHEAL STIÚRTHA AN TOGRA BHÉALOIDIS I mBUNSCOILEANNA CHORCA DHUIBHNE:

Roibeard Ó Cathasaigh, Stiúrthóir an Togra Béaloidis, Coláiste Mhuire gan Smál, Ollscoil Luimnigh.

Máire Uí Shíthigh, Comhordaitheoir, Oidhreacht Chorca Dhuibhne, Baile an Fheirtéaraigh.

Daithí Ó Gráda, Stiúrthóir Aonad Forbartha Curaclaim, Ollscoil Luimnigh, agus Áine Ní Chriagáin, Stiúrthóir an Aonaid go 1998.

Gobnait Uí Chonchubhair, Ionad Oideachais Chorca Dhuibhne.

Máirín Ní Bhroin, Scoil Naomh Gobnait, Dún Chaoin.

Máirín Ní Laoithe, Scoil Naomh Eirc, Feothanach.

Stiofán Ó Cuanaigh, Stiúrthóir is Léiritheoir Ceoil, Teileann, Co. Dhún na nGall.

Mícheál Ó Dubhshláine, Scoil Naomh Gobnait, Dún Chaoin.

Pádraig Ó Héalaí, Comhairleoir Canúna, Ollscoil na hÉireann, Gaillimh.

Áine Moynihan, Tograí go 1997.

ISBN 0 906096 10 3 (pacáiste le dlúthdhiosca)
An Chéad Chló 2003
An Dara Cló 2006

Obair ealaíne: Dómhnal Ó Bric
Dearadh clúdaigh: Denis Baker, The Unlimited Design Co.
Dearadh: Roibeard Ó Cathasaigh

TÁ MAOINIÚ FIAL FAIGHTE AG AN bhFOILSEACHÁN ÓS NA hEAGRAIS SEO A LEANAS:

An Roinn Gnóthaí Pobail, Tuaithe agus Gaeltachta
An Crannchur Náisiúnta
Bord na Leabhar Gaeilge
Meitheal Forbartha na Gaeltachta
Foras na Gaeilge
Údarás na Gaeltachta
SEFCO

Priontáil: Colour Books Ltd, 105 Eastát Tionsclaíoch Bhaile Dúill, Baile Átha Cliath 13.

Foilsitheoirí:

Aonad Forbartha Curaclaim
Coláiste Mhuire gan Smál
Ollscoil Luimnigh
Fón: (061) 314923

R-phost: cdu@mic.ul.ie

Oidhreacht Chorca Dhuibhne
Baile an Fheirtéaraigh
Co. Chiarraí
Fón: (066) 9156100

R-phost: cfcd@iol.ie

AN CLÁR

NÓTAÍ BEATHAISNÉISE

Roibeard Ó Cathasaigh: *Is ó Lios Póil i nDuibhneacha do Roibeard, agus léachtóir sinsearach le Gaeilge é i gColáiste Mhuire Gan Smál, Ollscoil Luimnigh. Tá suim ar leith aige sa bhéaloideas, agus ba é i bpáirt le Bo Almqvist a chuir eagar le déanaí ar chnuas-scéalta Bhab Feiritéar dar teideal Ó Bhéal an Bhab (leabhar agus dhá dhlúthdhiosca). Bunaitheoir agus stiúrthóir an Togra Bhéaloidis i mBunscoileanna Chorca Dhuibhne is ea é ó 1991 i leith, agus é mar aidhm aige claochlú cruthaitheach a chur ar ghnéithe d'insint bhéil thraidisiúnta na muintire do leanaí. Ba é a chuir eagar ar Rabhlaí Rabhlaí – rogha rannta traidisiúnta don aos óg (leabhrán agus dlúthdhiosca), agus é i gcomhar le Stiofán Ó Cuanaigh i léiriú an dlúthdhiosca.*

Stiofán Ó Cuanaigh: *Saolaíodh Stiofán san Astráil agus tháinig go hÉirinn i 1980 mar a raibh a shinsear roimhe. Cothaíonn sé a nasc lena fhód dúchais i gcónaí, go háirithe leis na Bundúchasaigh agus a gcultúr inar insealbhaíodh é. D'áirigh léirmheastóir ceoil amháin san Irish Times mar "musical pol-math" é, agus tá cáil air dá stíl tionlactha ar an ngiotár don gceol traidisiúnta, stíl a ndéantar aithris go forleathan uirthi, agus gur bronnadh Gairm Siamsaíochta Ceoil na hÉireann air dá bharr i 1997. Tá taifeadadh, léiriú nó seinnt déanta aige ar os cionn céad dlúthdhiosca – ceol traidisiúnta den chuid is mó. Is léachtóir cuairte sa cheol é i roinnt institiúid triú leibhéal. Ina theannta sin, file agus scríbhneoir amhrán é a bhfuil saothar leis taifeadta ag Mary Black, i measc daoine eile. Tá córas nua múinte ceoil do leanaí forbartha aige, a thionscnófar sa churaclam ceoil gan ró-mhoill, agus ba é a bhunaigh FACÉ, eagras a ghníomhaíonn chun sochair do fhilí, amhránaithe agus ceoltóirí na hÉireann (www.face.ie).*

Dómhnal Ó Bric: *Tógadh Dómhnal ar an gCeathrúin, Dún Chaoin. Ghnóthaigh sé dioplóma san anamúlacht in Institiúid Ealaíne, Dearaidh agus Teicneolaíochta Dhún Laoghaire i 2001. Chaith sé tréimhse ag obair le físeáin agus dearadh i TG4. Tá roinnt leabhar maisithe go dtí seo aige, ina measc Clocha Oghaim Chorca Dhuibhne, Bennett agus Uí Shíthigh, Baile an Fheirtéaraigh, 1995; 500 Beannacht is 500 Mallacht, B. 'ac Gearailt, Baile Átha Cliath, 2001 is 2003; Lacha in Easnamh, M. Uí Scanláin, 2001.*

RÉAMHRÁ

Cnuas-scéalta traidisiúnta don aos óg á n-insint ag trí ghlúin de mhuintir Ghaeltacht Chorca Dhuibhne, le claochlú cruthaitheach ceoil na dúiche, atá sa phacáiste oideachais seo.

Cruthaíodh an foilseachán seo – leabhrán le téacs na scéalta, léaráidí ildaite, modheolaíocht is treoracha don scéaltóireacht, agus dlúthdhiosca – faoi scáth Thogra Béaloidis i mBunscoileanna Chorca Dhuibhne, togra sainiúil curaclaim i réimse an bhéaloidis, a tionscnaíodh i mbunscoileanna Chorca Dhuibhne sa bhliain 1991, agus é mar sprioc aige gnéithe den insint bhéil thraidisiúnta áitiúil a shní le taithí oideachasúil aos óg na dúiche ar bhonn cruthaitheach, taitneamhach.

Tá *Scéilín ó Bhéilín* ag tógaint ar an mbunchloch a leagadh leis ar saothar ceannródaíoch *Rabhlaí Rabhlaí* – rogha rannta traidisiúnta don aos óg – céad fhoilseachán rathúil an Togra Béaloidis a seoladh i 1998. Táthar ag súil gur eiseamláir é an Togra Béaloidis seo i gCorca Dhuibhne do phobail Ghaeltachta is Ghaeilge na tíre ar na féidearthachtaí oideachasúla agus cruthaitheacha a bhaineann lena dtraidisiún sinseartha béil.

Tá an tAonad Forbartha Curaclaim, Coláiste Mhuire Gan Smál, Ollscoil Luimnigh, agus Oidhreacht Chorca Dhuibhne, Baile an Fheirtéaraigh, Co. Chiarraí, i bpáirt le chéile sa togra seo ó thús, agus táthar ag gníomhú i gcomhar le bunmhúinteoirí Chorca Dhuibhne chun na spriocanna a bhaint amach.

Ar deireadh, agus an mhílaois úr gealta orainn, is é ár nguí go dtabharfaidh an gníomh cruthaitheach ceiliúrtha seo i dtraidisiún scéalaíochta Chorca Dhuibhne spreagadh agus muinín do phobail na leithinise agus do mhuintir na hÉireann an teanga ársa – atá mar theanga phobail sa tír le breis is 2000 bliain – a labhairt leis an nglúin óg, i dtreo is go mbeidh sé ar a gcumas siúd chomh maith sásamh agus sochar a bhaint as siansa ár sinsir!

Oíche Shain Seáin 2003
Roibeard Ó Cathasaigh

PREFACE

Scéilín ó Bhéilín is a selection of traditional stories in Irish for children – some from the living storytelling tradition and others adapted from the archives of the Department of Irish Folklore, National University of Ireland, Dublin, but all from the rich oral lore of West Kerry – published as a result of *An Togra Béaloidis i mBunscoileanna Chorca Dhuibhne*, a unique curriculum development project in oral tradition initiated in twelve primary schools in the Corca Dhuibhne Gaeltacht in 1991.

This is a joint venture between the Curriculum Development Unit, Mary Immaculate College, University of Limerick, and Oidhreacht Chorca Dhuibhne – a local heritage organisation based in Baile an Fheirtéaraigh, Co. Kerry. Having a community and academic base makes this project special, and involves children, teachers, parents, storytellers, musicians, educationalists and folklorists in the curriculum process, aiming to develop educational programmes based on the rich folklore tradition of Corca Dhuibhne and incorporating them in the teaching of the curriculum at primary level.

This educational pack, including a book with coloured illustrations, guidelines for storytelling with children, notes and glossaries on the stories, and accompanying CD, is the culmination of four years' developmental work with the teachers and their pupils in selecting twelve stories from the hundreds that were piloted in the schools. Included in this selection are animal tales, hero tales, local and migratory legends, fairy and religious tales, and humorous and ladder tales.

Thirty voices from three generations of native Irish-speakers from Corca Dhuibhne can be heard on the CD, among them that of the renowned storyteller Bab Feiritéar from Dún Chaoin. Many of the stories are accompanied by traditional tunes from the area, collected by Canon James Goodman from the blind piper Tom Kennedy more than 150 years ago and specially arranged for this collection by Steve Cooney. These tunes from the archives of Manuscripts Department, Trinity College, University of Dublin are reproduced in this publication.

Scéilín ó Bhéilín – which follows in the tradition of the highly acclaimed *Rabhlaí Rabhlaí*, the first publication of the project – has stories to suit primary school children at all levels, but students of Irish and those with an interest in traditional stories in Irish will also enjoy listening to, reading or retelling stories from this selection.

Roibeard Ó Cathasaigh

Fearaimid romhaibh fáilte, a chairde na páirte,
fanaíg lámh linn tráth scéalta is ceoil,
eachtruithe is iontais á n-insint go binn daoibh,
siansa ár sinsir ag ráthaíocht go deo!

FÉACH NÓTAÍ, LCH 57

An Cat is an Luch

An rud is annamh is iontach!
Maidean Domhnaigh bhí cat agus luch ag damhas
agus ag súgradh le chéile ar fuaid an tinteáin.
Insa ghráscar dóibh sciob an cat an t-eireaball den luch.

'Ó, faire mo náire é' [arsa an luch], 'tabhair dom m'eireabaillín,
go raghaidh mé go dtí an Aifreann.'
'Tabharfaidh mé' [arsa an cat],
'má thugann tú braon bainne ón mbó chugam.'

Chuaigh an luch go dtí an mbó,
agus loirg sí braon bainne uirthi.

'A Bhó, tabhair dom braon bainne,
go dtabharfaidh mé braon bainne don gcat,
go dtabharfaidh an cat m'eireabaillín dom,
agus go raghaidh mé go dtí an Aifreann.'
'Tabharfaidh mé' [arsa an bhó],
'má thugann tú sop féir ón scioból chugam.'

1

Chuaigh an luch go dtí an scioból,
agus loirg sí sop féir don mbó.

'A Sciobóil, tabhair dom sop féir,
go dtabharfaidh mé sop féir don mbó,
go dtabharfaidh an bhó braon bainne dom,
go dtabharfaidh mé braon bainne don gcat,
go dtabharfaidh an cat m'eireabaillín dom,
is go raghaidh mé go dtí an Aifreann.'
'Tabharfaidh mé' [arsa an scioból],
'má thugann tú eochair ón ngabha chugam.'

Chuaigh an luch go dtí an ngabha,
agus loirg sí eochair don scioból.

'A Ghabha, tabhair dom eochair,
go dtabharfaidh mé an eochair don scioból,
go dtabharfaidh an scioból sop féir dom,
go dtabharfaidh mé sop féir don mbó,
go dtabharfaidh an bhó braon bainne dom,
go dtabharfaidh mé braon bainne don gcat,

go dtabharfaidh an cat m'eireabaillín dom,
is go raghaidh mé go dtí an Aifreann.'
'Tabharfaidh mé' [arsa an gabha],
'má thugann tú criathar uisce ón dtobar chugam.'

Chuaigh an luch go dtí an dtobar leis an gcriathar.
Sháigh sí síos an criathar san uisce,
agus de réir mar a thógadh sí aníos an criathar
d'imíodh an t-uisce tríd síos arís.
Lean sí uirthi mar sin, á shá síos
agus á tharrac aníos ar feadh i bhfad.
Bhí sí tugtha traochta, an créatúir,
nuair a labhair an Sprideoigín de Mhuintir Shúilleabháin
agus dúirt:
'Cré bhuí agus bualtach, a chailín! Cré bhuí agus bualtach!'

Thuig an luch go maith í.
Chuimil sí cré bhuí agus bualtach don gcriathar.
Ní raibh an criathar ag ligint aon bhraon uaidh ansan,
agus bhí ardáthas ar an luch.

Líon sí an criathar le huisce an tobair agus thug don ngabha é.
Thug an gabha eochair di.
Thug sí an eochair don scioból.
Thug an scioból sop féir di.
Thug sí an sop féir don mbó.
Thug an bhó braon bainne di.
Thug sí an braon bainne don gcat.
Thug an cat a heireabaillín di, agus chuaigh sí go dtí an Aifreann.
Ach, cén mhaith é? Bhí sí déanach don Aifreann.

Tháinig náire agus ceann fé ar an gcat
nuair a chuala sé go raibh an luch déanach don Aifreann,
agus ar seisean:
'Ní bhéarfaidh mé ar eireaball luiche go deo arís.'

Agus níor dhein leis, mar, riamh ó shin,
is ar cheann na luiche a bheireann an cat.

FÉACH NÓTAÍ, LGH 57-58

4

Cearc an Phrompa

Bhí Cearc an Phrompa lá ag scríobadh di féin sa ghairdín.
Thit cnó beag anuas de chrann uirthi.

'Ó, Dia lem anam, tá an t-aer agus an talamh titithe ar a chéile,'
– arsa Cearc an Phrompa.

Agus rith sí léi i ndeireadh a hanama.

Agus bhuail coileach dearg léi.
'An bhfuil aon scéal nua agatsa?' – arsa an Coileach Dearg.
'Is agamsa atá sé. Tá an t-aer is an talamh titithe ar a chéile,'
– arsa Cearc an Phrompa.

'Cé dúirt leatsa é sin?' – arsa an Coileach Dearg.
'Ó, mo dhá chluais a chuala é, mo dhá shúil a chonaic é,
ar bhun mo phrompa thiar a buaileadh é,
agus dá mba chloch mhór é, bhíos marbh,'
– arsa Cearc an Phrompa.

Agus ritheadar araon leo i ndeireadh a n-anama.

5

Agus bhuail lacha bhuí leo.
'An bhfuil aon scéal nua agaibhse?' – arsa an Lacha Bhuí.
'Ó, is againne atá sé.
Tá an t-aer agus an talamh titithe ar a chéile,'
– arsa an Coileach Dearg.

'Cé dúirt leatsa é sin?' – arsa an Lacha Bhuí.
'Cearc an Phrompa,' – arsa an Coileach Dearg.

'Cé dúirt leatsa é?' – arsa an Lacha Bhuí le Cearc an Phrompa.
'Ó, mo dhá chluais a chuala é, mo dhá shúil a chonaic é,
ar bhun mo phrompa thiar a buaileadh é,
agus dá mba chloch mhór é, bhíos marbh,'
– arsa Cearc an Phrompa.

Agus ritheadar triúr leo i ndeireadh a n-anama.

Agus bhuail gandal bán leo.
'An bhfuil aon scéal nua agaibhse?' – arsa an Gandal Bán.
'Ó, is againne atá sé.
Tá an t-aer agus an talamh titithe ar a chéile,'
– arsa an Lacha Bhuí.

'Cé dúirt leatsa é sin?' – arsa an Gandal Bán.
'Cearc an Phrompa,' – arsa an Lacha Bhuí.

'Cé dúirt leatsa é?' – arsa an Gandal Bán le Cearc an Phrompa.
'Ó, mo dhá chluais a chuala é, mo dhá shúil a chonaic é,
ar bhun mo phrompa thiar a buaileadh é,
agus dá mba chloch mhór é, bhíos marbh,'
– arsa Cearc an Phrompa.

Agus ritheadar leo arís i ndeireadh a n-anama.

Agus cé bhuail leo ná an buachaill,
an mada rua agus an gliocas ina shúile.
'An bhfuil aon scéal nua agaibhse?' [arsa an Mada Rua].
'Ó, is againne atá sé. Tá an t-aer agus an talamh titithe ar a chéile,'
– arsa an Gandal Bán.

'Cé dúirt leatsa é sin?' [arsa an Mada Rua].
'Cearc an Phrompa' [ar seisean].

'Cé dúirt leatsa é?' – arsa an Mada Rua le Cearc an Phrompa.
'Ó, mo dhá chluais a chuala é,
mo dhá shúil a chonaic é,
ar bhun mo phrompa thiar a buaileadh é,
agus dá mba chloch mhór é bhíos marbh' [ar sise].

'Ó, mo thrua mhór sibh [arsa an Mada Rua],
tagaíg liomsa agus beimid sábháilte le chéile.'

Leis sin, leanadar isteach é in aon streoillín amháin don phruais.
Ach, níor chualaigh éinne riamh ó shin gur thángadar amach as.

Tiuc! Tiuc! Tiuc! …
Fíonach! Fíonach! Fíonach! …
Beadaí! Beadaí! Beadaí! …

FÉACH NÓTAÍ, LGH 58-59

10

An Gabhairín Riabhach Rábach Rudaire

Bhí gabhairín ann uair amháin,
agus mhair sí ar Chruach Mhárthain.
Bhí dhá mhionnáinín aici. Seán agus Síle a bhí orthu.
Dh'imíodh an gabhar go barra an chnoic na haon lá di fhéin,
agus dh'fhágadh sí na mionnáin ag baile sa phúicín.
Dh'iadh sí doras an phúicín ina diaidh,
agus deireadh sí leis na mionnáin:
'Fanaíg istigh agus ná ligíg éinne isteach
go dtiocfadsa abhaile arís tráthnóna.'
'Tá go maith, a Mham, ní baol dúinn'
[a deireadh na mionnáin istigh].

Bhuaileadh an gabhar an cnoc amach,
agus théadh sí suas go dtí Bearna na Gaoithe,
agus as san suas go dtí barra Chruach Mhárthain.
Nuair a bhíodh a bolg lán aici
ghluaiseadh sí léi abhaile le fánaidh anuas,
gach aon phocléim agus broim aici,
go dtagadh sí go dtí doras an phúicín.

11

'Oscail,' a deireadh sí.

'Cé thá amuigh?' [a deireadh na mionnáin istigh].

'Mise, an Gabhairín Riabhach Rábach Rudaire,' [a deireadh sí].

'Cuir isteach do chrúibín [arsa na mionnáin],

agus aithneoimid ár máithrín fhéin.'

Sin é an uair a chuireadh an gabhar isteach a crúb,

agus dh'osclaídís an doras dá máthair.

Is ea, bhí san go maith agus ní raibh go holc.

Bhí sí ag imeacht mar sin,

agus na mionnáin ag fás suas go sona sláintiúil dóibh féin.

Ach, bhí seanamhada rua glic

ag imeacht timpeall an chnoic an uair úd,

agus bhí dúil mhallaithe aige sna mionnáin.

Lá amháin chuala sé an gabhar ag fágaint slán ag na mionnáin.

Nuair a fuair an mada rua an gabhar imithe chun an chnoic,

tháinig sé go dtí doras an phúicín agus bhuail cnag air.

13

'Oscail' [arsa an mada rua].
'Cé thá amuigh?' [arsa na mionnáin istigh].
'Mise, an Gabhairín Riabhach Rábach Rudaire' [ar seisean].
'Cuir isteach do chrúibín agus aithneoimid ár máithrín fhéin'
[ar siad].

Chuir sé isteach a chrúb,
agus dh'aithin na mionnáin crúb an mhada rua.
Leis sin, rug Síle ar thua, bhuail é, agus bhain sí do a chrúb.
Seo leis an mada rua agus é ag liúirigh agus ag béicigh.

Bhí fonn níos mó ná riamh ar an mada rua
teacht suas leis an dá mhionnán.
Chuimhnigh sé ar phlean.
Dh'imigh sé air, agus bhuail seanaghabhar mór bán
le Dónall Ó Lúing leis agus é marbh.
Bhain sé ceann de na crúba den ngabhar
agus cheangail suas ar a chois fhéin í.
Ansan, d'fhill sé ar bhéal an phúicín.

'Oscail' [arsa an mada rua].

'Cé thá amuigh?' [arsa na mionnáin istigh].

'Mise, an Gabhairín Riabhach Rábach Rudaire' [ar seisean].

'Cuir isteach do chrúibín

agus aithneoimid ár máithrín fhéin' [ar siad].

Is ea, bhí poll faoin ndoras agus shín sé isteach crúb an ghabhair.

Dh'oscail Seáinín an doras dó.

'Is ea, tánn sibh agam anois,

agus is fada mé ag faire oraibh!' [arsa an mada rua].

Láimhsigh sé Seáinín, ach, más ea,

seo amach Síle agus gach aon bhéic aici:

'A Mhamaí, a Mhamaí, tá an seanamhada rua gránna tagtha.

Fóir orainn, fóir orainn go tapaidh!'

Chuala a máthair an bhéicigh thuas ar bharra an chnoic.

Seo léi i ndeireadh a hanama anuas le fánaidh.

Stad ná staon níor dhein sí gur tháinig sí go dtí an bpúicín.

Chuaigh sí isteach,
agus bhí Seáinín i ndeireadh na feide ag an mada rua fé seo.
Thug sí fé.

An chéad iarracht, chuir sí a hadharc trína bholg in airde,
an tarna hiarracht trína imleacán in airde,
agus an triú hiarracht go dtí cnámh a dhroma.

Bhí sí á chroitheadh is á mheascadh ansan
go dtí go dtarraig sí a phutóga amach ar an mbán.
B'shin deireadh leis an mada rua ansan.

Bhí suaimhneas ag na gabhair as san amach,
agus mhaireadar go síoch grách i bhfochair a chéile
gan cíos, cás ná cathú orthu.

Sin é mo scéalsa. Má thá bréag ann bíodh.

FÉACH NÓTAÍ, LGH 59-60

16

An Dá Chruitíneach

Bhí fear óg ina chónaí in Ard na Caithne uair amháin,
agus bhí cruit air. Dónall Cam ab ainm dó.
Ana-amhránaí ab ea é.

Oíche Shamhna amháin agus é ag gabháil thar Lios Chathair Léith
chuala sé ceol bog binn na síóg ag teacht chuige
ar leirg na gaoithe.

'Dé Luain, Dé Máirt, Dé Luain, Dé Máirt,
Dé Luain, Dé Máirt, Dé Luain, Dé Máirt,
Dé Luain, Dé Máirt, Dé Luain, Dé Máirt …'

Stad sé agus d'éist sé go ciúin le gach séis,
is bhí sé faoi dhraíocht ag an mbinneas.

'Dé Luain, Dé Máirt, Dé Luain, Dé Máirt,
Dé Luain, Dé Máirt, Dé Luain, Dé Máirt,
Dé Luain, Dé Máirt, Dé Luain, Dé Máirt …'

Ghlac Dónall Cam misneach is do chan go deas séimh caoin:

'Dé Luain, Dé Máirt, Dé Luain, Dé Máirt,
Dé Luain, Dé Máirt, is Dé Céadaoin.
Dé Luain, Dé Máirt, Dé Luain, Dé Máirt,
Dé Luain, Dé Máirt is Dé Céadaoin.'

Nuair a chuala an slua sí an t-amhrán fíorbhinn,
labhair Rí an Leasa:
'Cé hé siúd a chuir an chríoch chóir lenár n-amhrán?
Gaibhíg amach, is tugaíg isteach é go gcífimid é!'

Chuaigh duine de mhuintir an leasa amach,
agus dúirt leis gur theastaigh ón rí labhairt leis.
Siúd le Dónall Cam isteach sa lios os comhair an rí.
'An tusa a chuir an chríoch chóir ar an amhrán?'
'Is mé go deimhin.'
'Táimid fíorbhuíoch duit as an amhrán a chóiriú
chomh maith san dúinn.
Bainfimid an chruit sin duit mar dhíolaíocht.'

Ansan tharraingíodar an chruit dá dhrom
agus chrocadar in airde ar fhalla an leasa í.
Agus an méid sin déanta acu,
ligeadar Dónall amach go bríomhar sláintiúil.
Ní nach ionadh, bhí áthas an domhain ar an bhfear bocht,
agus d'inis sé an scéal dosna comharsain go léir.
Leath an scéal ar fud na dúichí.

Bhí go maith is ní raibh go holc.
Bhí cruitíneach eile i bparóiste an Daingin a chuala an scéal.
Dúirt sé go raghadh sé fhéin go Lios Chathair Léith,
féachaint an mbainfí an chruit dó chomh maith.
Chuaigh sé go dtí an lios oíche bhreá ghealaí,
agus bhí na daoine maithe ag canadh an amhráin nua:

'Dé Luain, Dé Máirt, Dé Luain, Dé Máirt,
Dé Luain, Dé Máirt, is Dé Céadaoin.
'Dé Luain, Dé Máirt, Dé Luain, Dé Máirt,
Dé Luain, Dé Máirt, is Dé Céadaoin.'

Ní raibh aon ghuth ag Cruitíneach an Daingin,
ach thosnaigh sé ag canadh:

'Dé Luain, Dé Máirt, Dé Luain, Dé Máirt,
Dé Luain, Dé Máirt, Dé Céadaoin, agus Déardaoin.'

Bhíodar ag éisteacht leis istigh,
agus bhíodar ar buile nuair a dhein sé cocstí den amhrán.
'Cé hé sin a loit an t-amhrán?' [arsa Rí an Leasa].
'Gaibhíg amach agus tugaíg isteach é go gcífimid é.'

Thugadar Fear an Daingin isteach,
agus nuair a chonaiceadar an chruit ar a dhrom
chuireadar an chruit a bhí ar crochadh ar an bhfalla
anuas ar a chruit fhéin, mar gheall ar an amhrán a lot.

Deirtear gur ar a lámha is ar a chosa
a bhain sé an baile amach lena ualach.

FÉACH NÓTAÍ, LGH 60-61

Port na bPúcaí

An gcreideann sibh i bpúcaí? Bhuel, éist leis seo.

Deireadh muintir an Bhlascaoid
go raibh Inis Mhic Uibhleáin fé dhraíocht.

Timpeall céad bliain ó shin bhí lánúin ag aoireacht stoic san Inis.
Ana-cheoltóirí ab ea iad.
An oíche áirithe seo agus iad ina gcodladh,
d'éirigh gaoth agus dúisíodh iad araon.
Chualadar fuaim tríd an ngaoth ón bhfarraige.
Bhí an glór ag druidim leo riamh agus choíche
gur tuigeadh dóibh gur ceol é.

'An gcloiseann tú é sin?' ar sise.
D'éistíodar arís.
'Ar m'anam ach gurb iad na púcaí atá ag seimint,'
ar seisean léithi á freagairt.

D'fhéachadar amach, ach ní raibh duine ná daonnaí
le feiscint acu le solas na gealaí, ach scata róinte
thíos i gCuas na nÉan.
Lean an ceol draíochta ag teacht go bog binn
leis an leoithne ón bhfarraige.
D'fhanadar ag éisteacht leis an gceol diamhair
gur dh'fhan sé ina gcuimhne.

Ansan, thóg Fear na hInise chuige a veidhlín,
tharraing an bogha ar na sreanga,
nóta ar nóta, go raibh an port aige ó thús deireadh.

'Mo cheol thú,' arsa a bhean leis nuair a bhí an port seinnte aige,
'ach tánn tú chomh maith leo!'

FÉACH NÓTAÍ, LGH 61-62

24

An Ghlas Ghaibhneach

Bhí bó i Márthain uair amháin,
agus an Ghlas Ghaibhneach a bhí mar ainm uirthi.
Deirtear gur tháinig sí isteach ón bhfarraige i mBéal Bán.
Bhí dath glas uirthi agus bhí crut ana-bhainniúil uirthi.
Bó ana-mhacánta ab ea í, agus bhíodh sí ag siúl ó bhaile go baile.
Tháladh sí bainne ar éinne a chrúdh í,
agus líonadh sí an t-áras suas go barra.

Bhí seanabhean bhocht i Márthain ag an am,
agus thagadh an Ghlas Ghaibhneach
gach maidin chuici chun a crúite.
Chrúdh sí bainne na bó isteach in áras
go dtí go mbíodh sé ag cur thar maoil.

Tháinig fear siúil an treo go moch maidin amháin
nuair a chuala sé an scéal.
'Is iontach an bhó í,' ar seisean,
'ach cuirfeadsa geall leat ná líonfaidh sí an t-áras atá agamsa.'
'Bíodh geall go líonfaidh,' arsa an tseanabhean.

D'aimsigh an fear siúil criathar, agus chrúigh sé
bainne na bó isteach ann.
Bhí sé ag crú leis, ach fé mar a bhí an criathar ag líonadh
bhí sé ag folmhú arís.
Nuair a chonaic an bhó an bainne ag dul le fánaidh, labhair sí:
'Spáráil an bainne.'
Níor thóg an fear siúil aon cheann di, ach lean sé air
ag crú go meán lae.
'Spáráil an bainne,' arsa an bhó arís.

Bhí náire ar an tseanabhean fé seo, ach níor mhaith léi géilleadh.
'Spáráil an bainne,' arsa an bhó don tríú huair,
ach lean an fear siúil air ag crú is ag crú.

Leis sin, thosnaigh an Ghlas Ghaibhneach ag raideadh,
agus thug sí faoin bhfear siúil le speach dá crúib.
Bhuail sí sa cheann é, agus thit sé marbh ar an dtalamh.
D'imigh an Ghlas Ghaibhneach léithi síos chun na farraige,
agus ní fhaca éinne riamh ó shin í.

Tá gort i Márthain ainmnithe ina diaidh: Gort na Glas Gaibhní.

FÉACH NÓTAÍ, LGH 63-64.

An Píobaire

Bhí píobaire taistil uair i gceantar Lios Póil.
Lá amháin, chuaigh sé isteach 'on nDaingean chun speal a cheannach.
Siar sa tráthnóna bhí sé ar meisce.
Bhí sé déanach agus é ag teacht abhaile,
agus cad a chonaic sé ar thaobh an bhóthair ach fear marbh.
Bhí seanabhróga stracaithe ar an bpíobaire,
agus bhí bróga nua ar an bhfear marbh.

Bhí dúil ag an bpíobaire sna bróga nua,
ach ní ligfeadh an t-eagla dó iad a bhaint den bhfear marbh.
Cad a dhein sé ach na cosa is uile
a ghearradh den bhfear marbh lena speal,
agus bhuail sé faoina ascaill iad.
Shiúil sé leis an bóthar soir ag lorg lóistín.

Bhuail sé isteach i dtigh feirmeora.
Nuair a tháinig fear an tí amach go dtí an ndoras chuige, dúirt sé:
'Níl aon slí sa tigh, ach is féidir leat codailt i mbothán na mba.'
Chuaigh an píobaire go bothán na mba agus chodail ann go maidean.

Dhúisigh an píobaire go luath an lá dár gcionn,
chuir air na bróga nua, agus d'fhág na cosa sa chró,
agus thug aghaidh ar an mbóthar arís.

Nuair a dh'éirigh muintir an tí, chuir fear an tí a mhac amach
go bothán na mba chun glaoch ar an bpíobaire i gcomhair bricfeasta.
Nuair a chonaic an mac na cosa, cheap sé, ní nach ionadh,
gurbh amhlaidh a dh'ith an bhó an píobaire.
Rith sé isteach is d'inis sé an scéal.
Tháinig scanradh ar mhuintir an tí.
Chuireadar na cosa sa reilig, agus an lá dár gcionn
thugadar an bhó go hAonach an Daingin agus dhíoladar í.

Nuair a bhíodar Sráid Eoin amach ar an mbóthar abhaile dhóibh,
bhuaileadar isteach i dtigh tábhairne chun deoch a bheith acu.
Cé bhí istigh rompu ach an píobaire céanna ag rince,
agus é ag baint tine chreasa as an urlár leis na bróga nua!

Sin deireadh mo scéil.

FÉACH NÓTAÍ, LGH 64-65

30

Fionn agus an Fathach

Bhí Fionn Mac Cumhaill lá theas ar thráigh Fionntrá
ag fiach lena chú Bran.
Is gearr go bhfaca sé chuige isteach ón bhfarraige fear mór ard
láidir, ná raibh an fharraige mhór ag dul suas thar ascaill a chos
agus ná raghadh pláta stáin idir é agus an spéir.
Dhein sé fé Fhionn isteach.

'Cá bhfuil cónaí ar Fhionn Mac Cumhaill?' [arsa an Fathach].
'Tá cónaí air ansan thuas,' – arsa Fionn. 'Cén cúram athá agat dó?'

'Nach fiosrach ataoi?' [arsa an Fathach].
'Cé thusa, ach go háirithe?'
'Is aoire mise' [arsa Fionn], 'agus oibrím d'Fhionn Mac Cumhaill.
Cé tú fhéin?'
'Is laoch mise ón nDomhan Toir' [arsa an Fathach],
agus thána anseo ag triall ar Fhionn Mac Cumhaill,
mar go bhfuil cúram fíorthábhachtach ag mo rí dhó.'
'Ní raghaidh Fionn i do theannta ar ór ná ar airgead'
[arsa Fionn].

'Mura raghaidh, ach tabharfadsa liom é ar ais nó ar éigean'
[arsa an Fathach].
Seo leis an bhfathach i dtreo thigh Fhinn Mhic Cumhaill.
San am céanna, ghaibh Fionn an cóngar abhaile agus deabhadh air.

Nuair a bhuail Fionn an doras isteach,
bhí Gráinne ag ullmhú an dinnéir sa chistin.
'Cogar, a chailín' [ar sé sin]. 'Abair' [arsa Gráinne].
'Tá fathach mór groí ag déanamh ar an dtigh.
Raghadsa sa chliabhán sa chúinne agus ligfead orm gur leanbh mé.
Anois, más ea' [arsa Fionn].

Léim Fionn isteach sa chliabhán,
agus chaith Gráinne seanaphlaincéad anuas air.

Ba ghearr gur ghaibh an fathach isteach is é ag pramsáil.
'An bhfuil Fionn istigh?' [ar sé le Gráinne].
'Níl' [ar sí sin]. 'Tá sé fhéin is na Fianna
thíos in íochtar na hÉireann ag fiach.'

'Cé leis an leanbh úd sa chliabhán?'
'Is liomsa agus le Fionn é.'

'Cén t-aos é?'
'Ní mór an t-aos athá aige.'

'An bhfuil aon fhiacail fós aige?'
'Ó, go deimhin, n'fheadar, níor chuireas mo mhéar ina bhéal fós.'
'Is gearr go mbeidh fhios agamsa an bhfuil nó nach bhfuil'
[arsa an Fathach].

Chuaigh an Fathach sall go dtí an gcliabhán.
Sháigh sé a mhéar ina bhéal, agus má sháigh, bhí Fionn réidh dó,
agus luigh sé go maith air.

'Ó, ach, nach cruaidh an drandal atá ag an mbioránach seo'
[arsa an Fathach], 'is ábhar gaiscígh siúrálta é.'
'Tá fiacla maithe ag na Fianna' [ar sí sin].

'Cad é an caitheamh aimsire a bhíonn ag na Fianna tar éis dinnéir?'
'Tá' [arsa Gráinne] 'carraig chloiche ar an dtaobh thuaidh den
dtigh a chaitheann siad thar dhroim an tí siar,
agus beireann siad thiar uirthi sara mbuaileann sí an talamh.'

Chuaigh an fathach amach agus rug sé ar an gcarraig,
nár corraíodh le cuimhne na bhFiann.
Dh'ardaigh, is chaith de dhroim an tí siar í,
agus bhí sé thiar roimpi, ach má bhí, thit an charraig ar a chois,
is bhain an craiceann ó ghlúin go sáil dó!

Bhí eagla ag teacht ar an bhfathach roimh Fhionn fén dtráth san.
'Maisle orthu! Más é seo an caitheamh aimsire atá ag Fionn,
ní foláir nó gur fearr d'fhear é ná mé fhéin!'

Agus siúd leis síos chun na trá.
Dh'imigh sé chun farraige,
is níor chuir sé isteach ná amach ar na Fianna riamh ó shin.

Bhí ana-áthas ar Fhionn gur bhuail sé bob ar an bhfathach,
agus ag éirí aniar sa chliabhán dó dúirt:
'An té nach bhfuil láidir ní foláir dó bheith glic!'

FÉACH NÓTA, LGH 65-66

Crom Dubh

Mhair taoiseach sa Leitriúch fadó. Crom Dubh ab ainm dó.
Bhí mórmhaoin agus saibhreas aige.
Bhí a raibh de thalamh sa Leitriúch féna smacht,
agus táinte dá réir aige.

Le linn an ama san bhí muintir an cheantair fós ina bpágánaigh.
Ach bhí Naomh Bréanainn tosnaithe
ar an gcreideamh a chraobhscaoileadh i measc na gCiarraíoch.
Bhí daoine a chuir fáilte roimhe, agus daoine eile nár dhein.

Tháinig Bréanainn isteach sa Leitriúch,
agus thosnaigh ar chillín a thógaint ann,
mar bhí súil aige an creideamh a leathadh
sa dúthaigh úd chomh maith.
Más ea, níor chuir Crom Dubh aon fháilte roimhe.
Bhí eagla air siúd go mbeadh Bréanainn ró-mhaith dhó,
agus go gcaillfeadh sé a fhorlámhas.

Aon lá amháin tháinig an naomh chuige,
féachaint an dtabharfadh sé aon chabhair dó.

'Cabhród leat, cinnte,' arsa Crom Dubh.
'Tá tarbh breá agam thíos i nGleann Seanachoirp,
agus tabhair leat é, más féidir leat.'

Tarbh fiáin ab ea é, agus bhí súil ag Crom
go maródh sé Bréanainn.

Chuaigh Bréanainn isteach sa ghleann. Bhí an tarbh ann roimhe,
a cheann go talamh aige agus a eireaball san aer,
agus é ag séideadh agus ag búirigh le feirg is le drochmhianach.
Bhí Crom Dubh ag éalú ó thor go tor laistiar do Bhréanainn,
ag faire air,
agus súil aige go maródh an tarbh é láithreach.
Chomh luath is a bhraith an tarbh Bréanainn ag teacht,
chiúnaigh sé,
agus shiúil sé suas chuige go socair réidh.

Chuir sé sin an-iontas ar Chrom Dubh.
'Is leatsa an tarbh anois,' ar sé sin,
'ach ní mór duit é a chúiteamh liom.'
'Cúiteod leat é agus fáilte,' arsa Bréanainn.

39

Is é a dhein Bréanainn ná an ghuí
Go mbeannaí Dia is go ngráí Dia Crom Dubh
a bhreacadh ar bhlúire páipéir agus é a shíneadh go Crom Dubh.

'Go deimhin, is suarach an cúiteamh é,' arsa Crom Dubh.
'Más ea, is fearr go mór é ná luach an tairbh,' arsa Bréanainn.
'Gheobhaimid scálaí a chruthóidh dúinn é.'

Fuaireadar na scálaí, agus cuireadh an tarbh ar thaobh amháin
agus an ghuí ar an dtaobh eile.
Bhí cnapshúile ar nach éinne ag féachaint.
Dh'ardaigh an ghuí an tarbh gan aon stró.

'Anois,' arsa Bréanainn, 'cé acu is fearr?'
Ghéill Crom Dubh, agus ní fada ina dhiaidh sin gur baisteadh é.

Ó shin i leith, déantar comóradh ar Chrom Dubh
ar an nDomhnach deireanach d'Iúil sa Leitriúch,
agus glaotar Domhnach Chrom Dubh ar an lá úd.

FÉACH NÓTAÍ, LGH 67-69

Naomh Cuán agus an Phiast

Scéilín é seo a thit amach i bParóiste Múrach fadó.
Tá baint ag an scéal le Loch Chorráilí.
Tá an loch ann fós, agus beidh go deo.
Deirtear go mbíodh ollphiast draíochta le feiscint sa loch.
Thagadh sí aníos gach seachtú bliain.
Bhíodh mórán díobhála á dhéanamh aici,
ag ithe ba agus ainmhithe eile a bhí timpeall uirthi.
Ní fhéadfadh éinne cosc a chur léi.

Timpeall an ama san thagadh Naomh Cuán ar cuairt go dtí an
ndúthaigh, agus chuala sé mar gheall ar an bpiast,
agus an nós a bhí aici éirí amach as an loch Maidin Lae Bealtaine.
Chuala sé chomh maith fén ndíobháil ar fad a bhí déanta aici
le fada an lá.

Roimh éirí gréine ar Maidin Lae Bealtaine
chuaigh Naomh Cuán agus slua mór daoine lena chois
go bruach an locha.
Thug an naomh coire mór dubh leis.
Bhí sé ag faire is ag faire, féachaint cathain a thiocfadh an phiast aníos.

42

Sa deireadh, sháigh sí aníos a ceann agus dúirt:
'Nára teacht i do shláinte dhuit é, a Chuáin.'
'An bheannacht chéanna ortsa, a ollphéist.'

Lena linn sin, d'oscail sí a béal mór chun é a shlogadh,
ach chaith Naomh Cuán an coire anuas ar cheann na péiste.
Labhair an Phiast ansan:
'An fada a bheidh an coire seo ar mo cheann, a Chuáin?'
'Go Lá an Luain, a ollphéist ghránna.'

Labhair an Phiast arís agus dúirt sí go brónach:

'Is fada an Luan é, a Chuáin,
in uisce fuar ná fuil folláin,
ach mura mbeadh an coire seo a chuiris ar mo cheann,
d'íosfainn tú fhéin agus leath an domhain.'

'Ní dh'íosfair aon ní eile anois. Ní baol d'éinne
go ndéanfaidh tú dochar ná díobháil dóibh go brách arís.'

Agus mar sin a bhí.
Tá Naomh Cuán curtha sa bhaile san,
agus tá an phiast fós sa loch agus an coire ar a ceann.

FÉACH NÓTAÍ, LGH 69-70

43

Cathair Conraoí

Fadó riamh, dhein Cú Chulainn agus an Chraobh Rua iarracht
cathair mhór ar chósta Oileán Mhanainn a ghabháil,
mar go raibh Iníon Rí Uíbh Fháilghe i ngéibhinn ann.
Bláthnaid ab ainm don iníon, agus bhí sí féin agus Cú Chulainn
i ngrá le chéile, sular fuadaíodh as Éirinn í.
Ní raibh ag éirí leo an dún a ghabháil,
mar go raibh roth ag casadh ag geata na cathrach,
agus níorbh fhéidir le héinne acu dul thairis.
Ní fhéadfadh ach éinne amháin stop a chur leis an roth ag casadh,
agus ba é sin Cú Roí Mac Dáire.

Mhair sé siúd i gcathair mhór ar Shliabh Mis i gCiarraí –
Cathair Conraoí. Bhí sé ar a chumas siúd chomh maith
a dhún féin a chur ag casadh timpeall.
Bhí seanaithne ag Cú Chulainn agus ag Cú Roí ar a chéile.
Mar sin, chuir Cú Chulainn fios ar Chú Roí,
ag iarraidh air teacht i gcabhair orthu.

Chaith Cú Roí a chlóca draíochta thairis,
a d'fhág ná beadh radharc ag éinne air,
agus ghluais go hOileán Mhanainn,
mar a raibh Cú Chulainn ag feitheamh leis.

'Trí ionsaí a dheineamar agus trí uair a theip orainn,'
arsa Cú Chulainn.
'Lig domsa triail a bhaint as,' arsa Cú Roí.

'Dein,' arsa Cú Chulainn, 'agus má dh'éiríonn leat,
bíodh rogha de shlad na cathrach agat.'
'Tá go maith,' arsa Cú Roí.

Chuaigh Cú Roí chomh fada leis an roth,
dúirt sé a phaidir dhraíochta, agus stop an roth láithreach bonn.
Siúd leis an gCraobh Rua isteach sa chathair,
agus ba ghearr go raibh an chreach
agus Iníon Rí Uíbh Fháilghe scuabtha chun siúil acu ar ais go Cúige Uladh.

Bhí féasta agus ceiliúradh ansúd acu, agus bhí creach le roinnt,
gach éinne agus a chuid fhéin le fáil aige.

'Anois,' arsa Cú Chulainn le Cú Roí,
'bíodh do rogha den chreach agatsa ar dtúis.'
'Níl uaimse,' arsa Cú Roí, 'ach Bláthnaid – iníon an rí.'

Níor fhan focal ag Cú Chulainn, mar go raibh sé fhéin is Bláthnaid
i ngrá go mór le chéile.

An mhaidin dár gcionn d'éirigh Cú Roí go moch,
chuir air a chlóca draíochta, is chuir Bláthnaid faoina ascaill,
chuir coire lán de sheoda ar a dhrom,
bhagair trí bhó bhainne roimis, cheangail gearrcaigh ar a chrios,
agus d'éalaigh ó dheas go Cúige Mumhan
i ngan fhios do Chú Chulainn is do mhuintir Uladh.

Nuair a bhraith Cú Chulainn uaidh an bheirt, lean sé láithreach iad,
is stad ná staon níor dhein sé gur tháinig suas leo ag Sulchóid,
atá i dTiobraid Árann inniu.
Bhí comhrac aonair cruaidh cealgánta eatarthu ansan.
Dheineadar talamh bog den dtalamh cruaidh,
agus talamh cruaidh den dtalamh bog,
agus tharraingíodar na toibreacha fíoruisce aníos trísna clocha glasa.

Ar deireadh thiar thall
fuair Cú Roí an lámh in uachtar ar Chú Chulainn.
Leag sé chun talún é, bhearr a chuid gruaige,
agus chuimil bualtach bó dá aghaidh.

Ansan d'fhill Cú Roí ar a chathair fhéin,
agus choimeád Bláthnaid ann in aghaidh a tola.
Maidir le Cú Chulainn, d'éalaigh sé siúd abhaile
go Cúige Uladh fé náire,
agus d'fhan i bhfolach ann gur fhás a fholt gruaige
thar n-ais ar a cheann.

Fé cheann bliana, nuair a bhí a ghruaig fásta,
chuaigh Cú Chulainn ag seilg arís ar na Beanna Bóirche.
Cad a chífeadh sé chuige trasna na farraige ach scuaine d'éanlaithe
dubha. Siúd leis á seilg, ach is gearr go raibh sé faoi dhraíocht acu.
Mheall siad leo é thar teorainn Uladh amach,
trí lár tíre, thar mhachairí méithe na Mumhan,
gur shroicheadar Srón Bhroin in Iarthar Chorca Dhuibhne i gCiarraí.

Ansúd roimis ar thaobh cnoic, suite go dúbhrónach cráite bhí Bláthnaid. Ar fheiscint a chéile dóibh las a n-aighte le hiontas, le háthas is le gliondar croí. Ritheadar chun a chéile. D'fháisceadar agus phógadar a chéile le cion is le mórghrá.

I bhfad na haimsire,
bheartaíodar conas mar d'éalódh Bláthnaid ó Chú Roí.
Ní gan dua a tharlódh a leithéid,
mar go gcaithfí Cú Roí a chloí lena chlaíomh fhéin.
Bhí a anam siúd istigh in úll, agus bhí an t-úll istigh i mbradán
ná raibh le feiscint ach gach seachtú bliain i dtobar áirithe
sa chomharsanacht ar Shliabh Mis.
Chinntíodar cathain a bheadh an bradán le feiscint arís.

Ag an am oiriúnach shocraíodar go bhfanfadh Cú Chulainn
thíos ag bun an chnoic go dtí go n-iompódh an t-uisce fionn.
B'shin é an comhartha go raibh sé in am dó teacht
chun Bláthnaid a fhuascailt.

Idir an dá linn dúirt Bláthnaid le Cú Roí gur theastaigh dún nua
uaithi sara bpósfadh sí é, an dún ab fhearr ar domhan.

Thoiligh Cú Roí, gan mhoill, san a dhéanamh di,
agus chuir sé a chuid laoch mórthimpeall na hÉireann ag bailiú
cloch agus ag gearradh adhmaid chun an dún a thógaint.
Dar ndóigh, ní raibh ann ach seift ag Bláthnaid chun ná beadh aon
chabhair ar fáil do Chú Roí in am an ghátair.

Nuair a bhí an dún gan chosaint chrúigh Bláthnaid na trí ba bainne
isteach sa choire mór. Ansan chuaigh sí isteach go Cú Roí.
Chíor sí a chuid gruaige, rud a bhí uirthi a dhéanamh go minic cheana.
Nuair a thit suan ar Chú Roí, d'éirigh léithi a fholt fada a cheangal
de cholpa na leapan. Rith sí amach ansan, agus d'fholmhaigh an
coire bainne isteach sa ghlaise, agus d'iompaigh an t-uisce fionn.

Nuair a chonaic Cú Chulainn, a bhí ag feitheamh ag bun an chnoic,
an t-uisce ag iompó fionn, rith sé suas an cnoc go dtí an chathair.
Isteach leis, sciob sé claíomh Chú Roí, agus rith sé go dtí an tobar.
Sin é an uair díreach a bhí an bradán ar barra.
Rug sé ar an mbradán, d'oscail é,
agus fuair sé an t-úll a bhí istigh ann.
Ghearr sé an t-úll ar a leithead leis an gclaíomh.

Leis sin, lig Cú Roí béic dhiamhair as – béic a bhí le clos ar fud Éireann.
Thit an t-anam d'aon phreib as.
Chuala laochra Chú Roí an bhéic úd,
agus thuigeadar láithreach go raibh a dtaoiseach ar lár.
Chaitheadar uathu na clocha is na bíomaí adhmaid a bhí á mbailiú
acu, agus bhrostaíodar abhaile go tromchroíoch cráite.
Rompu bhí Cú Roí marbh agus Bláthnaid ar iarraidh.

Bhí cruitire ag Cú Roí darb ainm Feircire, agus bhí ana-fhearg air
nuair a d'airigh sé an feall a himríodh ar a thaoiseach.
Lean sé Bláthnaid, agus tháinig sé uirthi fhéin agus ar Chú Chulainn
ar muin capaill le faobhar faille cois locha.
Sciob sé Bláthnaid, a bhí ar chúlóg Chú Chulainn, agus léim sé
le haill léi. Maraíodh iad araon ar na carraigeacha thíos.
Slán mar a n-instear é.

Tá abhainn bheag ag sníomh trí lár an Chama i gCorca Dhuibhne,
agus go dtí an lá inniu féin tugtar Fionnghlaise air.

FÉACH NÓTAÍ, LGH 70-72

Míorúilt na Nollag

Bhí an Mhaighdean Mhuire agus Naomh Iósaf
amuigh ag siúl dóibh féin lá.
Shroicheadar imeall baile le titim na hoíche.
Bhí an Mhaighdean Mhuire ag éirí ana-thuirseach fén dtráth seo,
toisc leanbh a bheith á iompar aici,
is iad ar an mbóthar ó mhoch maidine.
Chuadar isteach sa chéad tigh a bhuail leo ar an mbaile,
caisleán tí go raibh dealramh an tsaibhris air.
Bhí fear an tí agus bean an tí istigh,
agus gearrchaile a bhí suite le hais na tine ná raibh aon ghéag uirthi.
D'iarradar lóistín na hoíche, go béasach.
D'fhreagair fear an tí go hardghlórach feargach agus dúirt:
'Níl aon lóistín againne do bhur leithéidí, agus is dána
agus is déiliúsach an gnó dhaoibh teacht fé dhéin an tí seo,
mar ní bhíonn aon déileáil againne le bochtáin de bhur sórt.'

Bhí an gearrchaile ag cur na súl
go truamhéileach tríd an Maighdean Mhuire,

54

agus thuigeadar nár thaitin léi a hathair a bheith
chomh míthrócaireach.
D'fhágadar go tromchroíoch agus shiúlaíodar leo.
Lean an gearrchaile amach iad, agus bhí sí á bhfaire go géarchúiseach.
Chuadar isteach i stábla a bhí aistear gearra ón dtigh mór.
Bhí asal agus bó istigh sa stábla agus easair luachra mar leaba fúthu.
Bhí uan óg taobh istigh den ndoras.
Chuir an Mhaighdean Mhuire agus Naomh Iósaf fúthu
mar ab fhearr a fhéadadar.

D'éirigh gearrchaile an tí mhóir le breacadh an lae,
agus thug sí fén stábla.
Bhí sí ag únfairt is ag útamáil leis an ndoras taobh amuigh,
agus labhair an Mhaighdean Mhuire istigh agus dúirt:

'Tabhair do ghuala don ndoras agus brúigh isteach é.'
Ach labhair an gearrchaile: 'Níl aon ghuala orm.'

Agus leis sin, d'oscail an doras uaidh féin.
Leath a dhá súil ar an ngearrchaile bocht.
Bhí leanbh i mainséar ann, agus an stábla gléigeal le Solas na Glóire.

55

'Tóg an leainbhín i do bhaclainn,' arsa an Mhaighdean Mhuire.
'Ní fhéadfainn é,' arsa an gearrchaile, 'mar níl aon lámh orm.'
'Bain triail as,' arsa an Mhaighdean Mhuire.

Dhein sí amhlaidh, agus d'fhás dhá láimhín ghleoite uirthi,
agus thóg sí suas an leanbh, agus í ag gol go faíoch le háthas.
Dob' é an Leanbh Íosa a bhí ann, saolaithe Oíche Nollag.

Chuaigh an cailín abhaile ansan,
agus nuair a chonaic na tuismitheoirí na lámha gleoite a bhí uirthi
tháinig áthas a gcroí orthu, agus bhaineadar amach an stábla
gan mhoill.
Chaitheadar iad féin ar a nglúine san easair ag adhradh
an Linbh Íosa, agus ag iarraidh pardún as a mbearta.

Riamh ó shin tá an seanfhocal ann:
'Ná cas le naí déirce a bhochtanas, agus ná maígh air do mhám mine.'

Seacht gcéad déag míle fáilte naoi n-uaire agus fiche
roimh Mhac Dé na Glóire is na Maighdine Muire ...

FÉACH NÓTAÍ, LGH 72-73

NÓTA EAGARTHÓIREACHTA

Cloítear a bheag nó a mhór leis an litriú a mholtar in *Foclóir Gaeilge-Béarla* le Niall Ó Dónaill (1977), agus sna cásanna go gceadaítear a mhalairt, fantar leo siúd is cóngaraí do chanúint Chorca Dhuibhne.

Nóta faoi **'Fearaimid romhaibh fáilte …', lch xiii / rian 1**

Rann nuachumtha é seo ag beannú d'éisteoirí Scéilín ó Bhéilín!
Bab Feiritéar, Cathal Póirtéir is Roibeard Ó Cathasaigh a chum.

Gluais: **Fearaimid romhaibh fáilte** – cuirimid fáilte romhaibh; **a chairde na páirte** – a chairde atá páirteach linn; **siansa ár sinsir** – lón samhlaíochta ár muintire romhainn; **ag ráthaíocht** – beo, beathúch.

NÓTAÍ FAOI NA SCÉALTA

Roibeard Ó Cathasaigh a chóirigh na scéalta sa chnuasach seo. Bhí sé i bpáirt sa chóiriú i scéalta ar leith, a léirítear le **Cóiriú +** sna nótaí.

'An Cat is an Luch', lch 1 / rian 2
Is scéal slabhra nó scéal dréimire an scéal seo.

Foinse: Bab Feiritéar. D'fhoghlaim Bab an scéal ar scoil. Féach *Ó Bhéal an Bhab, Cnuas-scéalta Bhab Feiritéar,* in eagar ag Bo Almqvist agus Roibeard Ó Cathasaigh, Indreabhán, 2002, 62-64, dlúthdhiosca 1, rian 3.

Cóiriú + Máirín Ní Bhroin, Mícheál Ó Dubhshláine.

Gluais: **Annamh** – ní minic; **bualtach** – cac bó; **criathar** – *sieve* – criathar mín / garbh; **faire mo náire é** – tá náire orm faoi; **gráscar** – spórt garbh; **sháigh** – bhrúigh**.**

Cíoradh an scéil:
*   Éist le buillí cheapord an ghabha ar an inneoin. Buail do rithim féin.
*   Tá an scéal slabhra seo an-oiriúnach do insint rannpháirtíoch mar atá anseo againn ar rian 2 de *Scéilín ó Bhéilín.*

- Cluiche: An Cat is an Luch – beireadh gach éinne greim láimhe ar a chéile agus déanaigí fáinne. Fanadh beirt, cat agus luch, lasmuigh den bhfáinne, agus téadh an cat ar thóir na luiche agus iad araon ag rith isteach is amach tríd an gciorcal.

Nathanna le meabhrú:
An rud is annamh is iontach.
'Ó, faire mo náire é …'
'A bhó, tabhair dom braon bainne …'
'A Sciobóil, tabhair dom sop féir …'
'A Ghabha, tabhair dom eochair …'
'Cré bhuí agus bualtach, a chailín …'

'Cearc an Phrompa', lch 5; rian 3
Is scéal slabhra an scéal seo, an scéal dá shórt is coitianta i dtraidisiún béil Chiarraí agus na hÉireann. Tá leaganacha Béarla den scéal an-choitianta chomh maith.

Foinse: Bab Feiritéar. D'fhoghlaim sí an scéal ar scoil. Féach *Ó Bhéal an Bhab*, 59-61, dlúthdhiosca 1, rian 2.

Cóiriú + Máirín Ní Laoithe.

Gluais: **Deireadh a n-anama** – chomh tapaidh is a d'fhéadfaidís; **Dia lem anam** – ó, go bhfóire Dia orm; **mo thrua mhór sibh** – tá ana-thrua agam daoibh; **prompa** – rumpa; **stiúraigh sé** – sheol sé; **streoillín** – i líne.

Cíoradh an scéil
- Éist le fuaimeanna na n-éanlaithe feirme ar rian 3, m.sh. grágaíl circe, glaoch coiligh, vácaíl lachan, gogal gé. Déan aithris orthu ceann ar cheann.

- Roinn an rang i gceithre bhuíon, suite tamaillín óna chéile: cearca, coiligh, lachain, agus géanna. Roghnaigh leanbh as gach buíon chun glaoch ar na héanlaithe ina bhuíon féin, agus freagraíodh na leanaí eile iad.

- Eachtraigh an scéal. Bíodh an múinteoir ina scéalaí agus páirt Chearc an Phrompa á insint chomh maith, agus leanbh muiníneach as gach buíon le páirt éin ar leith á eachtraí acu.

- Iarr ar na leanaí eile éisteacht go haireach le linn na hinsinte, agus glaochanna na n-éanlaithe a dhéanamh in amanna cuí.

- Deineadh an rang aithris ar an scéal in éineacht, agus geáitsí á ndéanamh le linn na hinsinte, m.sh. lámha ar na cluasa agus 'Ó, mo dhá chluais a chualá é' a rá, agus mar sin de tríd síos.

- Canaigí curfá an amhráin 'An Maidrín Rua' le ceol na bpíob ag deireadh an riain:

> An maidrín rua, rua, rua, rua, rua,
> an maidrin rua 'tá gránna,
> an maidrín rua ina luí sa luachair,
> agus barra a dhá chluais in airde.

Nathanna le meabhrú:
'Ó, Dia lem anam, tá an t-aer agus an talamh titithe ar a chéile.'
'Cé dúirt leatsa é sin?'
'Ó, mo dhá chluais a chuala é, mo dhá shúil a chonaic.'
Agus ritheadar (triúr) leo i ndeireadh a n-anama.
'An bhfuil aon scéal nua agatsa?'
'Ó, is agamsa atá sé. Tá an t-aer agus an talamh titithe ar chéile.'
'Ó, mo thrua mhór sibh.'
'Tagaíg liomsa agus beimid sábháilte le chéile.'

'An Gabhairín Riabhach Rábach Rudaire', lch 11 / rian 4

Scéal i dtaobh ainmhithe é seo a bhfuil a mhacasamhail ar fáil go forleathan i dtíortha an domhain mhóir. Tugtar tréithe daonna do na hainmhithe sna scéalta seo: bua cainte is iompair, agus cumas machnaimh. Is í feidhm an sórt seo scéil ná clisteacht ainmhí amháin a léiriú i gcomparáid le dúire nó amaidí ainmhí eile.

Foinse: Cumasc an insint seo ar dhá leagan den scéal a bhailigh an bailitheoir clúiteach béaloidis Seosamh Ó Dálaigh ó bheirt cholceathracha: Tomás agus Pádraig (Peats) 'ac Gearailt ó Mhárthain Beag i gCorca Dhuibhne. Thóg Seosamh leagan Thomáis, a bhí dhá bhliain déag agus ceithre fichid ag an am, ar an 23 Eanáir 1939. Dhá lá ina dhiaidh sin a thóg sé leagan Pheats (seanathair do Bhreandán 'ac Gearailt), a bhí dhá bhliain níos sine ná Tomás. Tá fáil ar na leaganacha seo i lámhscríbhinní as cartlann Roinn Bhéaloideas Éireann, Ollscoil na hÉireann, Baile Átha Cliath (CBÉ thíos), 587:580-583 agus 597:16-19, faoi seach.

Gluais: **Broim** – *fart* – ag broimnigh ; **bréag** – *lie* – ní bréag dom a rá; **cnámh droma** – *backbone* – chuaigh sé go cnámh droma ann; **crúibín** – *little hoof* – crúibín muice; **fána** – síos an cnoc; **imleacán** – *navel* – tá studa ar a imleacán aige!; **pocléim** – léim ard; **púicín** – bothán; **riabhach** – *brindled* – bó riabhach; **rábach** – *dashing* – spleodrach; **rudaire** – uasal.

Cíoradh an scéil:

- Éist le meigeallach na mionnán is na máthar ar rian 4. Tabhair faoi deara an mheigeallach shocair nuair a bhíonn suaimhneas ar na gabhair, agus cuir é i gcomparáid leis an meigeallach shuaite a bhíonn le clos uathu nuair a bhíonn imní nó eagla orthu. Déan aithris orthu.

- Éist le sceamh an mhada rua. Ní minic a chloistear a leithéid fiú faoin tuath. Déan aithris air.

- Eachtraigh an scéal, an múinteoir mar scéalaí, agus deineadh na leanaí an mheigeallach agus na sceamhanna cuí ag amanna tráthúla san insint.

- Dein scéaldráma ar an scéal.

- An t-amhrán 'Tá Dhá Ghabhairín Bhuí Agam' a chanadh.

Nathanna le meabhrú:
Bhí gabhairín ann uair amháin.
'Fanaíg istigh go dtiocfadsa abhaile arís tráthnóna.'
'Tá go maith, a Mham, ní baol dúinn,'
'Cé tá amuigh?'
'Mise an Gabhairín Riabhach Rábach Rudaire.'
'Cuir isteach do chrúibín agus aithneoimid ár máithrín féin.'
'Is ea! Tá sibh agam anois agus is fada mé ag faire oraibh.'
Stad ná staon níor dhein sí gur tháinig sí go dtí an bpúicín.
Mhaireadar go síoch grách i bhfochair a chéile gan cíos, cás na cathú orthu.
Sin é mo scéalsa. Má tá bréag ann bíodh.

An Dá Chruitíneach', lch17 / rian 5
Scéal sí é seo agus baineann mórán scéalta i dtraidisiún béil Chorca Dhuibhne agus na hÉireann leis 'an lucht sí', nó 'na daoine maithe', nó 'na púcaí', mar ab fhearr aithne orthu. Iarsma is ea an traidisiún sí seo a shnígh as tuiscintí agus creidiúintí réamheolaíocha a théann i bhfad siar i stair ársa na muintire. Baineann an ghné seo den traidisiún scéalaíochta le sochaí réamhliteartha, agus bhí faoiseamh le fáil sna scéalta seo ón dteannas a ghaibh le héiginnteachtaí an tsaoil úd. Bhí ana-bhaint ag 'liosanna' agus 'muintir an leasa' leis na scéalta seo, agus ba láithreacha tiomanta iad. Maireann cuid den traidisiún úd go dtí ár linn féin. Bhí sé le tuiscint ós na scéalta seo gur lean baol i slí éigin teagmháil leis na neacha neamhshaolta seo is na láithreacha a luadh leo, ar uairibh, agus is amhlaidh atá sa scéal seo.

Foinse: Bhailigh Bríd Ní Shúilleabháin leagan den scéal seo ó Shiobhán Ní Shúilleabháin (50), Cinnáird, Lios Póil, i 1948. Tá fáil ar an scéal i CBÉ 1158:44-46. Tá leagan breá eile den scéal i gcló i *Síscéalta ó Thír Chonaill* le Seán Ó hEochaidh, in eagar ag Séamas Ó Cátháin, Baile Átha Cliath, 1977, 160-163.

Cóiriú + Máire Ní Mhaoileoin.

Gluais: **Cocstí** – loitithe; **cruit** – *hump* – druinn; **cruitíneach** – *hunch-back* – cruiteachán; **leirg na gaoithe** – ar an ngaoth; **séis** – fuaim.

Cíoradh

- **Liosanna:**
  An bhfuil lios nó ráth nó dún ar d'aithne i do chomharsanacht?
  Cén t-ainm atá air?
  An bhfuil aon scéal ag baint leis? Fiafraigh de do mhuintir ag baile. Cén déanamh atá ar an láthair?
  An bhfuil dea-chríoch nó a mhalairt air?
  Cad iad na traidisiúin a leanann é?
  An gcreidtear i bpúcaí inniu? Tabhair cúis le do fhreagra.
  Cad é teachtaireacht an scéil seo, dar leat?
  An bhfuil athrú tagtha ar dhearcadh na muintire i leith an éagumais seachas mar atá léirithe sa scéal seo?
  Pléigh na logainmneacha a bhfuil na focail úd iontu, m.sh. Dún Chaoin, Lios Dúin Bhearna, Ráth Caola.

Nathanna le meabhrú:
Leath an scéal ar fud na dúichí.
Bhí go maith is ní raibh go holc.
Gaibhíg amach agus tugaíg isteach é go gcífimid é.

'Port na bPúcaí', lch 23 / rian 6
Tá dlúthcheangal ag Port na bPúcaí le seanchas an Bhlascaoid. De réir an tseanchais úd ba cheol draíochta nó ceol sí a bhí ann, a chuala lánúin de Mhuintir Dhálaigh nó de Mhuintir Ghaoithín ar Inis Mhic Uibhleáin os cionn céad bliain ó shin. Tá sé de ádh orainn go bhfuil ar ár gcumas 'Port na bPúcaí' a chlos á sheinm go draíochtúil ar a veidhlín ag an mBlascaodach Seán Cheaist Ó Cátháin ar rian 10 de Bheauty an Oileáin.

Foinse:　Is cóiriú an scéal seo ar an seanchas áitiúil, maille leis an eolas atá curtha ar fáil ag Ríonach uí Ógáin sa bhfoilseachán suaithinseach *Beauty an Oileáin: Music and Song of the Blasket Islands* – leabhrán agus dlúthdhiosca a d'eisigh Céirníní Cladaigh i 1992.

Cóiriú + Máirín Ní Laoithe agus Mícheál Ó Dubhshláine.

Gluais:　**Aoireacht** – *to herd* – Bhí Naomh Pádraig ag aoireacht caorach ar Shliabh Mis; **draíochta** – *magic* – slat draíochta; **lánúin** – *couple* – lánúin phósta; **leoithne** – *breeze* – leoithne ghaoithe.

Cíoradh an scéil:
- Tá tuairimí éagsúla ann i dtaobh bhunús an phoirt seo.

- Chuir an craoltóir cáiliúil Ciarán Mac Mathúna tuairim inspéise chun cinn go mb'fhéidir gur eascair 'Port na bPúcaí' ón éagaoin a bheadh le clos ag teacht aníos tré chabhail an bháid ag iascairí le linn do mhíol mór cruiteach a bheith thíos fúthu sa bhfarraige.

- Dar le Robin Flower in *The Western Island,* New York, 1983, 116, gur caoineadh do dhuine den lucht sí a fuair bás a bhí sa phort, nó arís eile deir sé gurbh é a bhí sa cheol úd ná *a lament for a whole world of imaginations banished irrevocably now, but still faintly visible in the afterglow of a sunken sun.*

- Ní lia duine ná tuairim, a deirtear! Cad déarfá féin?

- Tá leagan draíochtúil de *Phort na bPúcaí* le Tony McMahon ag seinnt ar an gconsairtín le clos ar rian 3, *MacMahon from Clare,* a d'eisigh an ceoltóir é féin i 2000.

- Ta fianaise sa phíosa ceoil seo agus sa seanchas a leanann é den chreidiúint a bhí ag ár muintir romhainn sna síóga agus a chosúlaí agus a bhíodar leis an duine daonna in a lán slite.
  Cén bhrí ar féidir linn a bhaint as a leithéid de scéal sa lá atá inniu ann, dar leat?

- Cum do phort féin, bunaithe ar fhuaim nó ceol éin nó ainmhí a chuala tú.

Nathanna le meabhrú:
Chualadar fuaim tríd an ngaoth ón bhfarraige.
'Ar m'anam ach gurb iad na púcaí atá ag seimint.'
Lean an ceol draíochta ag teacht go bog binn leis an leoithne ón bhfarraige.
'Mo cheol thú … ach, tánn tú chomh maith leo.'

'An Ghlas Ghaibhneach', lch 25 / rian 7

Is sampla an scéal seo den genre scéalaíochta a dtugtar finscéalta taistil (migratory legends) orthu, is é sin go bhfuil fáil orthu i mórán tíortha. Bíonn blas na fírinne ar an sórt seo scéil, agus iad suite go logánta i ngnáthshaol na muintire. Bíonn baol i gceist sna scéalta seo, agus ní hannamh deireadh tubaisteach nó éalú ar éigean a bheith leo. Is minic rím nó abairt fhoirmleach i gcroí na scéalta seo, agus bíonn comhairle leasa dosna héisteoirí iontu chomh maith.

Tá an scéal seo coitianta i mbéaloideas na hÉireann agus iarthar na hAlban, agus toisc go bhfuil leaganacha den scéal i Sasana agus sa Bhreatain Bheag, déarfadh an scoláire béaloidis Dáithí Ó hÓgáin go dtéann foinsí an scéil siar go dtí an mhoch-mheánaois ar a laghad. Féach Dáithí Ó hÓgáin, Myth, Legend and Romance, London, 1990, 240-241.

Foinse: Tá trí leagan den scéal seo i mBailiúchán na Scol, Corca Dhuibhne:
- (a) ó Scoil an Bhaile Dhuibh, Clochán Bhréanainn, CBÉS 431:108-110, an dalta scoile Tadhg Ó Flatharta a bhailigh óna mháthair.
- (b) ó Scoil Chlochar na Toirbhirte, an Daingean, CBÉS 425:376, an t-oide scoile An tSiúr Máire Breathnach a bhailigh ó Mhícheál Ó Murchú (62), An Caladh i nDaingean Uí Chúise.
- (c) ó Scoil Smerwick, Baile na nGall, CBÉS 420:587-588, an t-oide scoile Diarmuid Ó Loingsigh a bhailigh ó Mhícheál Ó Domhnaill (65), Cill Maolchéadair.

     Féach, chomh maith, an Seabhac, *An Seanchaidhe Muimhneach*, Baile Átha Cliath, 1932, 6-8.

Gluais: **Áras** – *vessel* – soitheach; **glas** – liath; **Gaibhneach** ón dia miotasach Goibhne; **ag raideadh** – *kicking furiously* – thugadar raideadh dóibh; **tháladh sí** – *she yielded* – ag tál bainne.

Cíoradh an scéil:
- Ar deineadh éagóir ar an nGlas Ghaibhneach sa scéal? Conas?
  Ar bhástáladh aon ní sa scéal?
  Tabhair samplaí den chur amú nó den bhástáil a dhéantar ar acmhainní nádúrtha sa lá atá inniu ann.
  Cad é teachtaireacht an scéil, dar leat?
  Ar chrúigh tú nó an bhfaca tú bó á crú riamh?
  Dein cur síos ar shiní, úth, steancán.
  An mó líotar nó galún bainne in aghaidh an lae a thálfadh bó mhaith inniu?
  Fiafraigh de do shinsir an bhfuil cuimhne acu ar bha á gcrú lena lámha. Faigh cuntas uathu.
  An raibh ainm ar gach bó an uair úd? Má bhí, cad iad na hainmneacha a ghlaotaí orthu?
  Bó Dhearg, Bóín Ghorm, An tOileánach agus Rohan ainmnecha ba a bhí i gcró na bhFeiritéarach lena linn féin, dar le Bab Feiritéar.
  An bhfuil guthanna na Seanmhná agus an tSeanfhir le clos ar rian 7? Má tá, cad deir siad?

Freagra sa deileáil cainte traidisiúnta seo a dhéanfaí le ba: 'Hó abhaile' ag glaoch abhaile ar na ba in am crúite; 'Ceartaigh' chun an bhó a chur ina háit; 'Hóis isteach' agus 'Hóis amach' le linn a bheith á mbreith abhaile nó á seoladh amach arís; 'Gheobhais' chun an bhó a chur ar a suaimhneas.

Nathanna le meabhrú:
Bhí crut ana-bhainniúil uirthi.
Tháladh sí bainne ar éinne a chrúdh í.
'Is iontach an bhó í.'
'Bíodh geall go líonfaidh.'
'Spáráil an bainne.'
Thosnaigh an Ghlas Ghaibhneach ag raideadh.
Ní fhaca éinne riamh ó shin í.

'An Píobaire', lch 29 / rian 8

Finscéal taistil é seo a bhfuil ar a laghad dhá scór leagan de ar fáil i dtraidisiún béil na hÉireann. Maidir le snáithe an scéil, cruthaítear teannas leis an líne thanaí atá idir fhírinne agus dochreidteacht an scéil, agus é maisithe le greann dorcha, a mheall scríbhneoirí cruthaitheacha chuige fiú. Féach Éilís Ní Dhuibhne, 'The cow that ate the pedlar in Kerry and Wyoming,' Béaloideas 67 (1999), 125-134. Tá amhrán dar teideal 'The Cow that Ate the Peddler' bunaithe ar an scéal chomh maith. Pléann Francis O'Neill an t-amhrán in The Irish Minstrels and Musicians, *Chicago, 1913, 444-7. Féach, chomh maith Seán O'Sullivan,* Folktales of Ireland, *London, 1966, 247-248, mar a bhfuil leagan den scéal aistrithe go Béarla aige.*

Foinse: Tá fáil ar an leagan seo den scéal i mBailiúchán na Scol, Scoil Chluain Chumhra, Lios Póil, CBÉ 1066:147-149. An dalta scoile Pádraig Ó Curráin a bhailigh óna athair, Pádraig (60), Baile an Phléamannaigh, i Samhain 1937.

Cóiriú + Mícheál Ó Móráin.

Gluais: **Dúil** – *desire* – tá dúil i mbia blasta agam; **speal** – *scythe* – ag baint an fhéir le speal; **tine chreasa** – *sparks*.

Cíoradh an scéil:
- Cén fheidhm a bhaintí as an speal ar an bhfeirm na blianta ó shin? – baint choirce, fhéir, fheochadán, gheitirí.
- Faigh amach ó do mhuintir an mbainidís siúd feidhm as speal, agus má bhainidís, cathain, agus cén barra a bhíodh á bhaint acu léi?

- **An speal**: garda, doirnín, crann, lann, sál – codanna na speile; tarraing léaráid agus ainmnigh na coda éagsúla.

- **An t-aonach**: faigh amach faoin aonach áitiúil, mar a bhíodh sé: Aonach an Daingin, Aonach Bhaile an Chláir, Aonach an Phoic, Aonach na gCapall i mBéal Átha na Sluaighe.

- Déan taighde ar na haontaí mar a bhídís: dátaí, cad a bhíodh ar siúl, tuairiscí ón litríocht, m.sh. sliocht as *Jimín Mháire Thaidhg,* i *Seoda an tSeabhaic,* in eagar ag Pádraig Ua Maoileoin, Baile Átha Cliath, 1974, 12-16.

- Tabhair sracfhéachaint ar chnuasaigh ghrianghraf *Camera Chorca Dhuibhne*, Pádraig Tyers, Dún Chaoin, 1991, 109, nó *Dingle Down the Years,* Tom Fox, Dingle, 1992, 104-114.

- **Píobairí:** Píobaire ab ea Tomás Ághas as Cinnáird i Lios Póil (1884–1917). Sheinneadh sé an phíob ar bharra chnoc Chinnáird agus é suite ar Charraig an Mhionnáin. Tá píoba Thomáis Ághais i gcoimeád i Leabharlann an Daingin, agus is féidir iad a fheiscint ach glaoch isteach ann. Cé hiad píobairí aitheanta an cheantair, agus na tíre inniu? Tá rí phíobairí ár linne in Éirinn le clos ag ceol ar *Scéilín ó Bhéilín*. Cé hé? Freagra: Liam Ó Floinn.

Nathanna le meabhrú:
Bhí píobaire taistil uair i gceantar Lios Póil.
Bhuail sé isteach i dtigh feirmeora.
'Is féidir leat codailt i mbothán na mba.'
Dhúisigh an píobaire go luath an lá dár gcionn.
Rith sé isteach agus d'inis sé an scéal.
Cé bhí istigh rompu ach an píobaire céanna ag rince.
Sin deireadh mo scéil.

'Fionn agus an Fathach', lch 31 /rian 9

Scéal Fiannaíochta é seo a bhí an-choitianta i dtraidisiún scéalaíochta na hÉireann. Áirítear suas le ceithre scór leagan den scéal i gCartlann Roinn Bhéaloideas Éireann in The Types of the Irish Folktale*, in eagar ag Seán Ó Súilleabháin agus Reidar Christiansen, Helsinki, 1967. Féach leagan Edna O'Brien den scéal do leanaí i* Stories From Round The World*, Hodder is Stoughton (eag.), London, 1990, 69-81.*

Foinse: Tá dhá insint ar an scéal seo i mBailiúchán na Scol, Corca Dhuibhne;
    (a) ó Scoil Naomh Finghín, Baile an Ghóilín, CBÉS 423:631-632, leagan a bhailigh an t-oide scoile Dónal Ó Loingsigh, ó Phádraig Ó Siochrú – athair an tSeabhaic, a bhí ós cionn ceithre fichid bliain nuair a bailíodh an scéal uaidh i nDeireadh Fómhair 1936;

(b) ó Scoil an Ghleanna, CBÉS 421:405-415, leagan breá eile den scéal a bhailigh an dalta scoile Máire Ní Dhonncha óna máthair, Nóra, a bhí leathchéad bliain ag an am. Ba é an t-oide scoile Seosamh Ó Conchúir a scrígh an scéal isteach sa lámhscríbhinn. Cumasc den dá insint atá sa leagan anseo againn.

Gluais: **Ascaill** – *armpit* – thugas liom fém' ascaill é; **bioránach** – *spiteful person* – duine gránna; **bob** – *trick* - buaileadh bob orm; **cúram** – *responsibility* – tá mórán cúraimí uirthi; **cliabhán** – *cradle* – Gaeilge ón gcliabhán; **drandal** – *gum* – tá do dhrandal ataithe; **fathach** – *giant* – fathach fir; **glic** – cliste; **macalla** – *echo* – bainim macalla as; **maisle orthu** – *ill luck on them* – maisle is máchaill orthu; **pramsáil** – *prancing* – tá na huain ag pramsáil sna goirt; **de dhroim an tí** – thar an dtigh.

Cíoradh an scéil:

- Cé acu ba mhisniúla, Fionn nó Gráinne, sa scéal seo? Tabhair cúiseanna le do fhreagra.

- Cá bhfuil an Domhan Toir? Féach ar an léarscáil agus aimsigh tíortha i réigiún na hÁise.

- Cé hé an t-eachtrannach sa scéal seo?
  Conas ar chaith na hÉireannaigh leis an eachtrannach sa scéal seo, dar leat?
  Cén fáth gur mar sin a chuadar i ngleic leis?
  Cad a dhéanfása dá mbeifeá i mbróga Fhinn nó Ghráinne?
  Nach maith go raibh Gaelainn ag an bhFathach! Conas?
  An dtagann eachtrannaigh chun na hÉireann sa lá atá inniu ann?
  An mbíonn fáilte rompu?
  An dtuigimid a chéile?

- Tarraing pictiúr d'eachtrannach agus d'Éireannach an lae inniu
  (a) ag comhoibriú le chéile,
  (b) le míthuiscint eatarthu (d'ardranganna).

Nathanna le meabhrú:
'Ní raghaidh Fionn i do theannta ar ór ná ar airgead.'
'Tá fathach mór groí ag déanamh ar an dtigh.'
Ba ghearr gur ghaibh an fathach isteach is é ag pramsáil.
'Is gearr go mbeidh a fhios agamsa an bhfuil nó nach bhfuil.'
'Ó, ach nach cruaidh an drandal atá ar an mbioránach seo.'
An té nach bhfuil láidir ní foláir dó bheith glic.

'Crom Dubh', lch 37 / rian 10

Finscéal é seo atá bunaithe ar phearsa réamh-Chríostaíochta nó págánach darbh ainm Crom Dubh, agus mar a d'iompaigh sé ar an gCríostaíocht. Tá an scéal seo bunaithe ar eachtra i mBeatha Naomh Phádraig le Muirchú i Leabhar Ard Mhacha ón dóú haois déag. Dia an fhómhair ab ea Crom Dubh sa seanreacht, agus maireann a cháil i gCorca Dhuibhne go dtí ár linn féin. Féach Máire Mac Néill, The Festival of Lughnasa, *Dublin, 1982, do thuairisc scolártha ar chomhthéacs an scéil.*

Foinse: Tá cúig insint ar an scéal i mBailiúchán na Scol, Corca Dhuibhne, mar atá, ceithre insint ó Scoil Bhaile Uí Dhuibhne, Clochán Bhréanainn, CBÉS 428: 315-323, insintí a bhailigh agus a bhreac

(a) Máiréad Bhreathnach, Ceapach, óna máthair;

(b) Siobhán Ní Laighin óna hathair;

(c) Eibhlís Ní Shúilleabháin óna seanathair;

(d) Seán Ó Bric óna sheanathair;

agus leagan breá den scéal ó Scoil Chluain Chumhra, Lios Póil, CBÉS 426:1-3, a bhailigh cailín scoile, Cáit Ní Chinnéide, ó Phádraig Ó Grífín, Baile na hAbha, ar 16 Deireadh Fomhair 1929. Seán Ó Súilleabháin an t-oide scoile, a bhreac an scéal seo isteach sa lámhscríbhinn, agus is ar an insint seo is mó atá ár leagan-na bunaithe.

Tá go leor leaganacha eile den scéal seo i mbéaloideas Chorca Dhuibhne, ina measc insint Pheig Sayers i *Scéalta ón mBlascaod,* in eagar ag Kenneth Jackson, Baile Átha Cliath, 1938, 61-62. Féach *Naomh Pádraig agus Crom Dubh,* leagan dea-ghreanta do leanaí le Gabriel Rosenstock, Baile Átha Cliath, 1995.

Gluais: **Cnapshúile** – súile oscailte le hiontas; **comóradh** – ceiliúradh; **craobhscaoileadh** – *propagate* – leathadh; **cúiteamh** – *compensate* – cúram gan chúiteamh; **forlámhas** – *supremacy* – lámh in uachtar – forlámhas na tíre a ghabháil; **maoin** – saibhreas – maoin phearsanta.

Cíoradh an scéil:

- Léirítear coimhlint áirithe sa scéal seo.
  Cé aige a raibh an bua ar deireadh?
  An le lámh láidir a fuarthas an bua?
  Murab ea, conas a fuarthas é?

- Críochnaigh an seanfhocal a thugann leide den bhfreagra: An té nach bhfuil láidir …

- Deir an scéal linn go ndéantar ceiliúradh ar Chrom Dubh sa Chlochán le pátrún go dtí ár linn féin. Cathain a dhéantar amhlaidh, de réir an scéil?

- Ceiliúrtar pátrún nó féile áitiúil go bliantúil i mórán paróistí agus bailte ar fud na hÉireann. Is minic a bhíonn turas, tobar beannaithe, paidir thraidisiúnta, leigheas nó ceiliúradh i gceist. An bhfuil a leithéid de thraidisiún i do dhúthaighse? Má tá, cathain agus cad iad na nósanna a leanann é? B'fhiú athnuachan a dhéanamh ar an dturas áitiúil, má tá an nós ligthe i ndearmad!

- Déantar comóradh ar Naomh Gobnait i nDún Chaoin, i mBaile Bhuirne, agus in Inis Oírr, Co. na Gaillimhe, ar Lá 'le Gobnait – 11 Feabhra – gach bliain le turas tobair. Lean paidir agus leigheas an turas seo chomh maith, mar a leanann turais bheannaithe go coitianta. Seo a leanas leagan Bhab Feiritéar den phaidir a déarfadh duine sara dtosnófaí ar thuras Naomh Gobnait a thabhairt:

  > Beannaím duit, a Ghobnait Naofa,
  > fé mar a bheannaíonn Muire dhuit sea bheannaím féin duit,
  > agus chugatsa a thána ag gearán mo scéil leat,
  > ag iarraidh mo shláinte ar son Dé ort.

- Tá cuimhne ag Séan Ó Dubhda – iarmhúinteoir scoile agus bailitheoir béaloidis ó Bhaile an Oidhre sa Leitriúch, a saolaíodh ar an gCill Mhór i bparóiste an Bhaile Dhuibh sa Chlochán i 1911 – ar an gceiliúradh iontach a leanadh an fhéile áitiúil le linn a óige. Lá mór ceoil, rince, scléipe, lúthchleasaíochta, ithe is óil ab ea Lá an Phátrúin sa Chlochán an uair úd, mar a mbíodh muintir leithinis Chorca Dhuibhne thuaidh is theas ag ceiliúradh sa chomhthalán ann. Is cuimhin le Séan a bheith i mbaclainn a mháthar, agus fearaibh d'fheiscint ag tabhairt léimt láimhe thar thrí chapall a bheadh seasta taobh le taobh.

- Fiafraigh de do shinsir an mbíodh a leithéid de cheiliúradh ar siúl acu féin mórthimpeall ar fhéile ar leith. Má bhí, faigh cuntas uathu, agus inis ar scoil é, nó dein taifeadadh air.

- Deirtear 'in ainm Chroim' go dtí ár linn féin chun cráiteacht a chur in iúl.

- Éist leis na rithimí ar an rian seo. An aithníonn tú iad?
  1,2 / 1,2,3 / 1,2,3,4,5; 1,2 / 1,2,3 / 1,2,3,4,5.
  Déan na rithimí úd a bhualadh ar do shuaimhneas.

Nathanna le meabhrú:
Mhair taoiseach sa Leitriúch fadó.
Níor chuir Crom Dubh aon fháilte roimhe.
Tá tarbh breá agam thíos i nGleann Seanachoirp, agus tabhair leat é, más féidir leat.'
Bhí an tarbh ann roimhe, a cheann go talamh aige agus a eireaball san aer …

'Is leatsa an tarbh anois, ach ní mór duit é a chúiteamh liom.'

'Cúiteod leat é agus fáilte.'

'Go mbeannaí Dia, is go ngráí Dia Crom Dubh.'

'Naomh Cuán agus an Phiast', lch 41 / rian 11

Rannscéal é seo, is é sin le rá go bhfuil rann i gcroí an scéil. Is mó scéal dá leithéid i dtraidisiún béil na hÉireann, a lán acu a bhfuil baint acu le filí ar nós Eoghain Rua Úi Shúilleabháin, nó pearsana stairiúla mar Dhónall Ó Conaill. Féach Ó Bhéal an Bhab, 135-136, dlúthdhiosca 2, rian 10. Chun eolas cuimsitheach ar an naomh mar laoch sa tseanchas a fháil, féach caibidil 1, i Dáithi Ó hÓgáin, The Hero in Irish Folk History, Gill and Macmillan, Dublin, 1985.

Foinse: Tá trí insint ar an scéal seo i mBailiúchán na Scol, Corca Dhuibhne;

(a) ó Scoil Naomh Finghín, Baile an Ghóilín, CBÉS 424:222-223, an dalta scoile Mairéad Ní Shéaghdha a bhailigh ó Phádraig Ó Séaghdha, Baile Móir, An Daingean.

(b) ó Scoil Chlochar na Toirbhirte, an Daingean, CBÉS 425:54-55, an dalta scoile Sinéad Ní Ghógáin a bhailigh óna máthair i mBaile an Éanaigh, agus an t-oide scoile An tSiúr Cormac Nic an tSaoir a bhreac sa lámhscríbhinn.

(c) ó Scoil Smerwick, Baile na nGall, CBÉS 420:665-666, an t-oide scoile Diarmuid Ó Loingsigh a bhailigh ó Phádraig Ó Séaghdha (60), Baile na nGall.

Tá insint bhreá den scéal ó bhéal Pheig Sayers sa bhfoilseachán *Scéalta ón mBlascaod*, 62-63. Maireann an scéal seo go láidir i dtraidisiún béil ár linne chomh maith.

Cóiriú + Máirín Ní Laoithe agus Eibhlín Ní Mhurchú.

Gluais: **Coire** – *cauldron* – coire na feola; **dúthaigh** – ceantar; **folláin** – sláintiúil; **Lá an Luain** – *Day of Judgement* – Lá an tSléibhe; **Piast** nó péist – *monster* – péist mhara; **Nára theacht i do shláinte dhuit é** – go dteipe ar do shláinte mar gheall air; **An bheannacht chéanna ortsa** – gurab amhlaidh duit.

Cíoradh an scéil:

- An aithníonn tú feadaíl an ladhráin trá (*redshank*) ar an rian seo? Éist arís leis.

- Bhain, agus baineann, tábhacht ar leith i saol na muintire le gnásanna ceiliúrtha le linn cinnfhéilte mar Oíche Bhealtaine nó Lá Bealtaine – 1 Bealtaine, Oíche Shean-Bhealtaine – 10 Bealtaine, Lá Shain Seáin – 24 Meitheamh, Oíche Shamhna – 31 Deireadh Fómhair, agus Lá Fhéile Bríde – 1 Feabhra.

- Áirigh cuid de na nósanna a bhain agus a bhaineann fós le ceannfhéile amháin acu seo i do theaghlach nó i do cheantar féin, m.sh. tinte cnámha, bob nó breab (*trick or treat),* cros Bhríde.
- Cé hé an laoch sa scéal seo? Cén fáth?
- An bhfaca sibh an scannán *Jurrasic Park?*
  Cad é an difríocht idir na péisteanna nó na dionosáir sa scannán úd agus an phéist sa scéal seo?
- Cum rann beag i dtaobh eachtra nó eispéireas iontach a bhain duit féin. Cuir scéilín leis.
- Obair ealaíne: Déan piast le boscaí uibhe greamaithe le gliú de phíosa cairtchláir. Cuir cruth dionosáir air agus dathaigh (le péint) i do rogha datha.

Nathanna le meabhrú:
Deirtear go mbíodh ollphiast draíochta le feiscint sa loch.
Roimh éirí gréine ar Maidin Lae Bealtaine …
'Nára teacht id' shláinte dhuit é.'
'An bheannacht chéanna ortsa.'
'Is fada an Luan é, a Chuáin …
'Ní baol d'éinne go ndéanfaidh tú dochar ná díobháil dóibh go deo arís.'

'Cathair Conraoí', lch 45 / rian 12

Finscéal nó laochscéal iomráiteach é seo a luaitear leis an rúraíocht. Bhí éileamh ag scríobhaithe lámhscríbhinní ón 11ú go dtí an 13ú haois déag ar an scéal seo, agus thug Seathrún Céitinn leagan den scéal dúinn sa 17ú haois. Féach Dáithí Ó hÓgáin, Myth, Legend and Romance, *London, 1990, 139-142, i gcomhair tuilleadh eolais ar chúlra an scéil. Féach chomh maith Cormac Ó Cadhlaigh,* An Rúraíocht, *Baile Átha Cliath, 1956, 384-389.*

Foinse: Tá aon insint amháin ar an scéal seo i mBailiúchán na Scol, Corca Dhuibhne, ó Scoil Chillíneach, Baile an Bhóthair, Abhainn an Scáil – cois Chathair Conraoí, CBÉS 427:239-241, insint a bhailigh an dalta scoile Treasa Ní Mhuircheartaigh óna hathair, Mícheál, agus an nóta seo a leanas lena chois:

Rugadh agus tógadh anseo é. Deireann sé gurb é sin an insint atá ag muintir na háite ar an scéal seo riamh.

Tugann insint Mhichíl creatlach an scéil dúinn dár leagan athchóirithe anseo. An t-oide scoile Diarmuid Ó Cuill a bhreac an scéal sa lámhscríbhinn idir 1937 agus 1938.

Cóiriú + Bosco Ó Conchúir agus Mícheál Ó Dubhshláine.

Gluais: **Ar lár** – marbh; **bhagair** – thiomáin – bagair an capall leat; **cealgánta** – nimhneach; **claíomh** – sword – claíomh a iompar; **comharsanacht** – *neighbourhood*; **comhrac** – troid – comhrac aonair; **crios** – beilt – cuir ort do chrios tarrthála; **diamhair** – *mysterious* – rugas ar bhradán mór diamhair, **d'fháisceadar** – fáisc – rugadar barróg ar a chéile; **faobhar** – imeall; **feall** – éagóir; **fionn** – bán; **fuadaíodh** – *abducted* – tógadh le lámh láidir; **fuascailt** – saoradh; **gearrcaigh** – éin óga; **glaise** – sruthán – fionnghlaise – an sruthán bán; **géibhinn** – i bpríosún; **leithead** – taobh; **maoin** – saibhreas – maoin phearsanta; **seoda** – *jewellery* – seoda ealaíne; **scuaine** – scata – scata ban, scata gé!; **seilg** – fiach; **slad** – *plunder* – creach; **slán mar a n-instear é** – le toil Dé go bhfuilimid fhéin slán agus an drochscéal á insint againn; **sníomh** – ag rith tríd.

Cíoradh an scéil:

- Baineann an scéal go príomha le láthair atá suite ar bharr cnoic i raon Shliabh Mis i gCo. Chiarraí. Is mó scéal a leanann láithreacha arda mar é ar fud na hÉireann, m.sh. Cnoc Bréanainn, Cruach Phádraig, Binn Éadair. Faigh amach ó do shinsir an bhfuil aon scéal dá shórt a bhaineann le do dhúthaighse ar eolas acu, agus má tá, dein é a mheabhrú uathu, agus inis ar scoil é.

- An bhfuil caisleán nó cathair i do cheantar? Má tá, ainmnigh iad, agus faigh amach an mbaineann aon scéal leo i seanchas do mhuintire, m.sh. i gCorca Dhuibhne tá caisleáin – Caisleán na Mináirde, Caisleán Ráth Fhionnáin, Caisleán Ghallaruis, Caisleán Bhaile an Mhórdhaigh, Caisleán Ghriaire, nó cathracha – Cathair Caoin, Cathair Léith, Cathair na bhFionnúrach, Cathair an Treanntaigh.

- Téann an caidreamh a bhí idir Éire agus an Bhreatain i bhfad siar. Cuimhnigh gur fuadaíodh Naomh Pádraig ón mBreatain go hÉirinn 1,600 bliain ó shin, agus gur chuaigh Naomh Colm Cille go hOileán Í na hAlban sa seachtú haois. An leanann an caidreamh idir na tíortha úd go dtí ár linn féin? Conas?

- **Cúrsaí grá:** Is mó scéal i dtraidisiún scéalaíochta na Gaelainne a bhaineann le cúrsaí grá, m.sh. Scéal Dheirdre in 'Oidhe Chlainne Uisnigh', nó scéal Ghráinne i 'Tóraíocht Dhiarmada agus Ghráinne,' gan ach an beagán a lua. Féach Aogán Ó Muircheartaigh, *Diarmaid agus Gráinne*, Baile Átha Cliath, 2001 – leagan deachóirithe comhaimseartha den scéal.

- Déan comparáid idir scéalta an ghrá mar a léirítear sa scéal seo agus i seanscéalta eile é agus scéalta grá an lae inniu. Faigh amach ó do mhuintir an bhfuil aon chur amach acu ar chúrsaí cleamhnais mar a chleachtaítí an nós uair amháin.

- **Comhraic aonair:** Is minic a leithéid luaite sna scéalta, agus inár stair – Cú Roí agus Cú Chulainn sa scéal seo, Cú Chulainn agus Fear Diadh sa 'Táin'; Fionn Mac Cumhaill agus Dáire Donn, Rí an Domhain, i gCath Fionntrá; agus Dónall Ó Conaill agus d'Esterre na staire. An dtarlaíonn a leithéid inniu?

- Bhíodh cruitire ag gach rí fadó. Tabhair scéal Labhraidh Loingseach chun cuimhne. Féach Nóirín Ní Nuadháin, *33 Drámaí Gaeilge do Ghasúir Scoile,* Indreabhán, 1989, 74-79, mar a bhfaighir scéaldráma fileata do leanaí, bunaithe ar an scéal seo, cóirithe ag Gabriel Rosenstock.

Gníomhaíocht
- B'fhiú go mór dul ag dreapadóireacht suas go Cathair Conraoí, – atá lonnaithe ar bharr maolchnoic nach bhfuil puinn thar 800 troigh ar airde. Treoireoidh cuaillí cos casáin go barra thú. Tabhair an scéal chun cuimhne le linn do shiúlóide, nó nuair atá tú ar a bharr.

Nathanna le meabhrú:
Chuir Cú Chulainn fios ar Chú Roí …
'Trí ionsaí a dheineamair agus trí uair a theip orainn.'
'Lig domsa triail a bhaint as.'
Siúd leis an gCraobh Rua isteach sa chathair.
'Bíodh do rogha den chreach agatsa ar dtús.'
An mhaidin dár gcionn, d'éirigh Cú Roí go moch.
Bhí comhrac aonair cruaidh cealgánta eatarthu ansan.
Dheineadar talamh bog den dtalamh cruaidh …
Cad a chífeadh sé trasna na farraige chuige ach scuaine d'éanlaithe dubha.
Ní raibh ann ach seift ag Bláthnaid chun ná beadh aon chabhair ag Cú Roí in am an ghátair.
Leis sin, lig Cú Roí béic dhiamhair as …
Maraíodh iad araon ar na carraigeacha thíos. Slán mar a n-instear é!

'Míorúilt na Nollag', lch 53 / rian 13
Is scéal cráifeach é seo.
Foinse: Bab Feiritéar.

Tá líon mór scéalta cráifeacha i stór scéalta Bhab. Féach Ó Bhéal an Bhab, 62-64, dlúthdhiosca 1, rianta 4-10.

Bhí scéalta le cúlra creidimh an-choitianta i mbéaloideas na hÉireann. Is scéal apacrafa ón mBíobla bunaithe ar shaolré Íosa agus na Maighdine Muire an ceann seo ó bhéal an Bhab, agus é inste go binn dúinn aici, mar is dual di. Cuireadh aguisín leis an scéal anseo – dhá líne as seanamhrán diaga atá ag Bab féin, agus a bhí coitianta i gCorca Dhuibhne, go háirithe ar an mBlascaod Mór, mar a raibh sí ag Peig Sayers, agus ag Tomás Ó Criomhthain – féach Séamus Ó Duilearga, Seanchas ón Oileán Tiar, Baile Átha Cliath, 1956, 240-241, mar a bhfuil leagan Thomáis i gcló. Seo a leanas an chéad rann as:

> *Seacht céad déag fáilte nae n-uaire agus fiche,*
> *Ruim Mhac Dé na Glóire agus na Maighdine Muire!*
> *Gur thúirling 'na bruín órdha 'na Dhia agus 'na dhuine,*
> *Is gur Uiche Nolag Mór a rugadh Rí ceart na cruinne.*

Tá leagan eile den scéal seo ó bhéal an Bhab i gcló in An Caomhnóir, Nuachtlitir Fhondúireacht an Bhlascaoid *19, (1998), 5.*

Gluais: **Dealramh** – cuma; **deiliúsach** – dána; **faíoch** – gan stop; **géarchúiseach** – *discerning* – grinn; **gléigeal** – *pure white* – sneachta gléigeal bán; **gleoite** – néata, álainn; **ná maígh** – *do not begrudge* – ná maígh orm é; **truamhéileach** – *piteous* - go truach.

Cíoradh an scéil
- Cén difríocht atá idir insint seo an Bhab ar an gcéad Oíche Nollag agus an gnáthleagan de scéal na Nollag atá ar eolas agat?
  Conas a chuaigh an insint seo i *Scéilín ó Bhéilín* i bhfeidhm ort?
  Cé acu insint ar an scéal is fearr leat? Cén fáth?

Nathanna le meabhrú:
Shroicheadar imeall baile le titim na hoíche.
'Níl aon lóistín againn do bhur leithéidí.'
Bhí asal agus bó istigh sa stábla, agus easair luachra mar leaba fúthu;
Riamh ó shin tá an seanfhocal ann, ná cas le naí déirce a bhochtanas agus ná maígh air do mhám mine.

AN SCÉALAÍ: BAB FEIRITÉAR

Scéalaí cáiliúil is ea Cáit 'an Bhab' Feiritéar. Saolaíodh an Bhab i mBaile na hAbha, Dún Chaoin, i nGaeltacht Chiarraí i ndeireadh na bliana 1916, agus maireann sí ann ó shin. Níl a sárú de scéalaí traidisiúnta le fáil in Éirinn. Tá na céadta scéal meabhraithe óna hóige aici, agus ní bréag a rá go bhfuil scéal nua le hinsint aici gach aon lá den mbliain!

Más ea, ní haon iontas an Bhab a bheith ina scéalaí, mar gur as an scéalaíocht a fáisceadh í, toisc go mba scéaltóirí mórán dá muintir féin. Mhair cuid acu san in aontíos léi, ina measc, a seanathair Micheál Ó Guithín, nó Maidhc mar ab fhearr aithne air. Deir an Bhab linn go raibh ana-thionchar aige siúd uirthi:

> Bhí mo sheanathair Maidhc ana-cheanúil ormsa. Mhair sé go dtí go raibh sé aon bhliain déag agus cheithre fichid, agus ní cás dom a rá gur thug sé aon bhliain déag acu san dall, slán mo chomhartha. Ní raibh aon ní aige chun an t-am a chaitheamh, ach ag cur an lá leis an oíche agus an oíche leis an lá, suite cois na tine ag duanaireacht agus ag scéalaíocht. Bhínn ag éisteacht leis, agus bhí na scéalta ag dul i bhfeidhm orm.

Ina theannta sin, chuaigh a seanaintín Máire Ruiséal i gcion ar an ngearrchaile, mar a deir Bab féin:

> Bhímis ag éalú suas go dtí Máire Ruiséal, seanaintín dom. Máire an Tobair a ghlaoimis uirthi siúd. Bean ana-phléisiúrtha ab ea í sin. Chím fós í suite ansiúd cois tine, turann aici, agus í ag sníomh. Bhí scéalta gearra grinn aici, agus bhí scéalta fada aici chomh maith. Ní fhéadfá gan suim a chur iontu.

Ba mhó tionchar eile, áfach, a sheol an Bhab ar bhóthar na scéaltóireachta. Orthu sin bhí na múinteoirí scoile a bhí aici le linn di a bheith ag freastal ar bhunscoil Naomh Gobnait i nDún Chaoin idir na blianta 1923 agus 1931. Ba é Muiris Ó Dálaigh an múinteoir a bhí aici insna ranganna arda. Chuir sé siúd ana-shuim sa scéalaíocht chomh maith, agus chothaigh sé nós is ceird na scéaltóireachta i measc na ndaltaí a bhí faoina chúram:

> Ardmhúinteoir ab ea é siúd. Is é a mhúscail i gceart sinn i gcúrsaí seanchais. Léadh sé scéal dúinn agus deireadh sé linn ceist a chur ar ár muintir age baile an raibh an scéal áirithe sin acu, agus má bhí, é a bhreith ar scoil ina bhfocla siúd. Ansan a thuigeamair go raibh tábhacht ag baint leis an seanchas is an scéalaíocht.

Ba í an scéaltóireacht príomhchaitheamh aimsire na muintire le linn óige an Bhab, agus mhair scéaltóirí bríomhara sa chomharsanacht inar tógadh í – leithéidí Mháiréad Uí Dhálaigh agus Pheats Uí Chathasaigh.

Bab Feiritéar ag scealtóireacht i Scoil Chaitlín Naofa, Ceann Trá

Thug Bab bláth a saoil ag feirmeoireacht lena céile, Séamus Feiritéar, agus thógadar seachtar muirir. Tháinig athruithe ollmhóra ar nósmhaireacht a muintire i nDún Chaoin le linn na mblianta úd, ba iad sin caogaidí, seascaidí agus seachtóidí na haoise seo caite. Chuaigh nós na bothántaíochta is na scéaltóireachta i léig go mór le teacht an raidió agus na teilifíse. Ní chiallaíonn sé sin, áfach, gur dhein an Bhab dearúd ar a cuid scéalta féin ná ar na traidisiúin a bhí go smior inti. A mhalairt atá fíor. Dhein sí iarracht choinsiasach ar scéalta agus ar dhánta dá cuid a thabhairt chun chuimhne i mbun cúramaí áirithe feirme di, mar a leanas:

> Nuair a bhínnse an uair úd suite fé bhó agus mé á crú, dá mbeadh an bhó deas briosc agus í suaimhneasach, chuireadh fuaim an bhainne ag dul don channa dánta agus duanaireacht a bhíodh ag m'athair críonna i gcuimhne dhom, agus mé á síortharrac tríom phaidríní.

Ní di féin amháin a d'insíodh Bab scéalta, áfach. Ba bhreá léi, agus is breá le Bab go dtí an lá atá inniu féin, scéalta a dh'eachtraí. Is minic í le clos ag scéaltóireacht ar Raidió na Gaeltachta, agus bíonn fáilte agus fiche chun a tí i mBaile na hAbha aici roimh chomharsain agus cuairteoirí aon uair den lá nó den oíche!

Níl éinne is mó a thacaigh leis an bhfoilseachán seo ná an Bhab. Ba mhinic í rannpháirteach i gceardlanna scéalaíochta sna scoileanna áitiúla, i dTeach Siamsa na Carraige, agus ina tinteán féin, fiú, le linn don Togra Béaloidis a bheith faoi lánseol. Ní hannamh linn, ach oiread, dul i gcomhar léi faoi ghnéithe ar leith den scéaltóireacht lena linn féin. Ina theannta sin, ní raibh a sárú le fáil i mbun taifeadta sa stiúideo, í muiníneach, foighneach, tuisceanach i gcónaí, ag eachtraí a cuid scéalta go binn réidh isteach sa mhicreafón, gan bharrathuisle, ó thús go deireadh. Agus cuimhnímis go raibh cúig bliana agus ceithre fichid slán aici le linn na hoibre seo.

Mar fhocal scoir, tá guth binn an Bhab le clos ar shé rian ón dlúthdhiosca a ghabhann leis seo: trí scéal a tháinig óna béal féin i dtús báire, ach a bhfuil páirt san insint anseo aici i dhá cheann acu. Bhí sé de ádh orainn bean dá héirim agus dá sinsearacht a bheith mar thaca teann leis an Togra Béaloidis ó chuireamair tús leis dhá bhliain déag ó shin. Gura fada buan an scéalaí agus an scéaltóireacht!

Féach *Ó Bhéal an Bhab, Cnuas-scéalta Bhab Feiritéar*, 53-55, nó dlúthdhiosca 1, rian 1.

AN BAILITHEOIR CEOIL: SÉAMAS GOODMAN

Tá ocht bport as an gcnuasach ceoil a bhailigh Séamas Goodman le clos ar an dlúthdhiosca *Scéilín ó Bhéilín*. Ba é mian a chroí ag Stiofán Ó Cuanaigh go mbainfí feidhm as an gceol tíre sa chomhthéacs cruthaitheach seo, toisc gur eascair an ceol féin agus a lán de na scéalta sa chnuasach seo ón muintir a ghaibh tré challshaoth an Drochshaoil i gCorca Dhuibhne, suas le 150 bliain ó shin.

Saolaíodh Séamas Goodman – an dara duine de naonúr clainne – ar an 22 Meán Fómhair 1828. Ministir d'Eaglais na hÉireann ab ea a athair, Thomas Chute Goodman, a chaith seal i bparóiste Abhainn an Scáil agus ina dhiaidh sin i nDún Urlann ó 1851 ar aghaidh. Tógadh Séamas ar fheirm mhaith a mhuintire i mBaile Áimín Treantach, atá suite míle siar ó Bhaile an Ghóilín, cois Chuan Fionntrá.

Cuireadh luath-oiliúint phríobháideach ag baile ar Shéamas, agus ina dhiaidh sin chuaigh sé go Coláiste na Tríonóide, mar ar bhain sé céim BA amach sa Ghaeilge agus san Eabhrais sa bhliain 1851, mar aon le Teastas Diagachta. Oirníodh ina mhinistir é i gCorcaigh ar an 22 Bealtaine 1852, agus ba i gceantar an Sciobairín in iarthar Chorcaí a chomhlíon sé a dhualgaisí mar mhinistir as sin go deireadh a shaoil. Phós sé Charlotte King, agus saolaíodh beirt chlainne dóibh. Ceapadh Séamas Goodman ina Ollamh le Gaeilge i gColáiste na Trionóide sa bhliain 1884.

Ba dhuine ildánach é Séamas Goodman. Chum sé filíocht i nGaeilge, agus bhí an-spéis i gceol tíre na muintire aige. Sheinn sé úirlisí ceoil chomh maith. Tá sé le tuiscint gur cuireadh oiliúint fhoirmiúil sa bhfliúit sna déagaibh air, ceird a thacaigh go mór leis i mbreacadh an cheoil níos déanaí ina shaol. D'fhoghlaim sé seinnt na píbe, chomh maith, agus áiríodh é ar an bpíobaire ab fhearr sa Mhumhain lena linn.

Bhí amhránaithe agus ceoltóirí den scoth le clos óna óige aige ina cheantar dúchais, agus is léir go gcuadar sin i bhfeidhm go mór air. Ba é ceol na píbe ba bhinne agus ab fhearr leis, agus ba chara buan dó an píobaire clúiteach Tomás Ó Cinnéide, nó Tom Cinnidí, mar ab fhearr aithne air ina dhúthaigh féin, ceoltóir a chaith sealanna éagsúla dá shaol i bparóiste Fionntrá, i nDún Chaoin, agus ar an gCarraig. Deirtear gur uaidh a d'fhoghlaim Séamas seinm na píbe i dtús báire. Ana-phíobaire ab ea a dheartháir Aindí Ó Cinnéide chomh maith.

Bhí saol corraitheach ag an gCinnéideach. Deineadh géarleanúint air féin agus ar dhaoine eile a d'iompaigh le creideamh an údaráis a bhí ann lena linn. Níobh aon chúnamh dó, ach oiread, an ghráin dearg a bheith ar phíobairí, ar rince is ar ól ag sagart paróiste Bhaile an Fheirtéaraigh a linne, an tAthair Seán Ó Cathasaigh, nuair nach raibh de shlí bheatha ag an bpíobaire bocht ach tionóil rince agus ócáidí ceiliúrtha eile. Ar mhí-amharaí an tsaoil, chaill Tomás radharc na súl anonn sna blianta dó, agus más fíor don bhéaloideas, milleadh lámh leis ina theannta sin.

'The Lady's Cup of Tea'[1]

'The Humours of Minard'[2]

'An Maidrín Ruadh'[3]

'Poc ar Buille'[4]

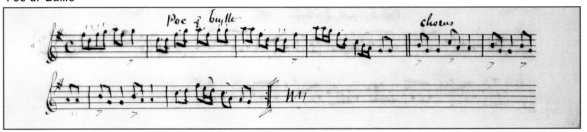

'Caoineadh an Mhadaidh Ruaidh'[5]

'The Five Pound Jig' / 'Dia Luain is Dia Máirt'[6]

'Fitzgerald's Hornpipe'[7]

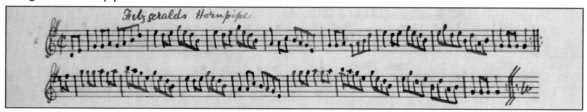

'Siobháinín Seó'[8]

Bíodh sin mar atá, bhí cairdeas rathúil ag an gCanónach Séamas Goodman leis an bpíobaire Tomás Ó Cinnéide ar feadh blianta fada. Seo mar a dúirt Art Ó Beoláin, beannacht Dé leis, in alt inspéise leis i dtaobh an chaidrimh a bhí eatarthu:

> Is dóigh liom gurb é an píobaire bocht seo an duine ba thábhachtaí ina shaol ar fad. Is uaidh a d'fhoghlaim sé an ceol b'ansa leis, agus is uaidh leis a bhailigh sé na céadta port.[9]

Maidir le bailiú na bport de, beidh cuimhne bhuan ar Shéamas Goodman as an éacht ceannródaíoch a dhein sé i mbailiú an cheoil tíre. Bhailigh sé formhór an cheoil idir na blianta 1856 agus 1866. Bhreac sé síos os cionn 2,300 fonn i gceithre lámhscríbhinn ceoil atá i gcoimeád anois i Leabharlann Choláiste na Trionóide, Baile Átha Cliath. Tá breis is dhá chéad fonn amhrán, agus a dhá oiread sin ceoil rince ó Chorca Dhuibhne, sa chnuasach seo, mórchuid de a thóg sé síos óna chara, an píobaire Tomás Ó Cinnéide.

Is tráthúil gur cuireadh an chéad imleabhar as cnuasach ceoil Shéamais Goodman i gcló i 1998 sa bhfoilseachán *Tunes of the Munster Pipers,*[10] in eagar ag Hugh Shields. Ba é ár bpríbhléid tumadh isteach sa tobar saibhir ceoil seo agus anam a chur i nótaí ceoil na n-ocht bhfonn a thaoscamair as, foinn a bhí ina dtost le breis is céad go leith bliain, chomh maith lena dtaispeáint anseo ar phár, díreach mar a bhreac Séamas sna lámhscríbhinní iad.

D'éag Séamas Goodman ar an 18 Eanáir 1896, agus tá sé curtha sa Sciobairín. Deineadh ceiliúradh ar a bheatha agus a shaothar le linn Éigse Chorca Dhuibhne 1989. Mar chuid den Éigse do nocht an Canónach Pádraig Ó Fiannachta leac ina chuimhne ag Tobar Mhichíl i mBaile Móir, mar a bhfuil radharc breá ar láithreacha mhuintir Ghoodman.

Ár gceol go deo an bailitheoir diaganta Séamas Goodman agus an píobaire ceolmhar Tomás Ó Cinnéide!

1. TCD 31494:34a. Tá na foinn seo ar fáil i gcnuasach ceoil Shéamais Goodman i gcartlann Roinn na Lámhscríbhinní, Leabharlann Choláiste na Trionóide, Baile Átha Cliath.
2. TCD 3196:117c
3. TCD 3192:256
4. TCD 3196:11d
5. TCD 3194:257
6. TCD 3194:34a
7. TCD 3195:54b
8. TCD 3196:94b
9. Féach ailt inspéise ag údair éagsúla ar an gCanónach Séamas Goodman in *Iris na hOidhreachta 2* (1990), in eagar ag Pádraig Ó Fiannachta.
10. H. Shields, *Tunes of the Munster Pipers*, 1, Dublin, 1998.

SCÉALAÍOCHT TRAIDISIÚNTA: A TÁSC IS A TREOIR

Is é dúchas an duine scéal a insint. 'A scéal féin scéal gach éinne,' a deirtear. Insímid go léir scéalta fúinn féin, agus is spéis linn scéal an duine abhus. 'Aon scéal nua agat?' a fhiafraímid nuair a chastar duine orainn!

Bíonn daoine níos fearr ná a chéile chun scéal a insint, áfach. Cuireann daoine áirithe craiceann ar a n-insintí, a fhágann gur ealaín acu siúd í an scéalaíocht, agus go mbíonn meas dá réir orthu mar scéalaithe i measc a muintire fhéin. Duine díobh siúd is ea an scéalaí Bab Feiritéar ó Dhún Chaoin, a bhfuil a guth le clos ar an ndlúthdhiosca *Scéilín ó Bhéilín*.

An Scéal Traidisiúnta

Dar ndóigh, is ealaín ársa bhéil í an scéalaíocht a bhaineann le gach cultúr ar domhan, ach ealaín í a bhfuil seandacht agus saibhreas ar leith aici i dtraidisiún na Gaeilge.

Roimh ré an fhocail scríofa cuireadh eolas ar an domhan agus ar stair na muintire, a dtimpeallacht, a ndéithe, a gcreidimh is a mbuarthaí in iúl tré mheán an scéil bhéil. Seachadadh na scéalta ó bhéal go béal, ó ghlúin go glúin, ó phobal go pobal, agus ó thír go tír.

Maireann an focal traidisiúnta agus an friotal ealaíne a cuireadh air anuas go dtí ár linn féin sna scéalta a múnlaíodh tríd an bpróiseas cruthaitheach scéalaíochta seo. Tugaimid scéalta traidisiúnta ar na scéalta úd.

Tá réimse an-leathan scéalta i dtraidisiún béil na Gaeilge, leithéidí scéalta i dtaobh ainmhithe, laochscéalta, finscéalta, rannscéalta, scéalta sí is creidimh, agus scéalta grinn. Tá blaiseadh na seánraí úd sa chnuasach seo.

Scéalaíocht Traidisiúnta Chorca Dhuibhne

Ealaín bheo is ea an scéalaíocht a raibh ardmheas uirthi i gCorca Dhuibhne, agus bhí stádas dá réir ag an scéalaí nó an seanchaí le fada an lá i measc na bpobal scéalaíochta. Ba é an scéal príomhfhoinse eolais is chaitheamh aimsire na muintire leis na cianta cairbreacha - anuas go dtí daicheadaí agus caogaidí an chéid seo caite le teacht an raidió agus na teilifíse. Maireann scéalaíocht thraidisiúnta sa dúthaigh úd go fóill, más go faon féin é!

Tá scéalta traidisiúnta mhuintir Chorca Dhuibhne á mbailiú ag béaloideasóirí le breis is céad bliain anuas. Ba é an Meiriceánach Jeremiah Curtin ba thúisce a thug faoin gcúram bailithe nuair a tháinig sé go Ceann Trá i 1892. Ina dhiaidh sin bhailigh bailitheoirí béaloidis ar nós Sheosaimh Uí Dhálaigh fómhar iontach seanchais ó scéalaithe i ngach baile agus paróiste sa leithinis – leithéidí Pheig Sayers, an Blascaod Mór, ónar bhailigh Joe na céadta scéal. Deineadh an bailiú seo ó 1935 ar aghaidh faoi scáth

Choimisiún Béaloideasa Éireann, agus tá an bailiúchán béaloidis úd ar coimeád i gCartlann Roinn Bhéaloideas Éireann in Ollscoil na hÉireann, Baile Átha Cliath. Is sa chartlann úd a fuarthas foinsí d'fhormhór na scéalta sa chnuasach seo.

Bailiúchán na Scol

Bailíodh cnuasach béaloidis i mbunscoileanna na sé chontae fichead, chomh maith, faoi choimirce Choimisiún Béaloideasa Éireann agus faoi stiúir na mbunmhúinteoirí ó 1934 go 1939. Ba iad na daltaí scoile i ranganna 5 agus 6 (11-14 bliana d'aois) a bhailigh an t-ábhar faoi 55 ceannteideal, ar nós scéalta, amhráin, paidreacha, seanfhocail, mo cheantar féin, logainmneacha, naomh-phátrún an cheantair, gan ach an beagán a lua.

Tháinig bailiúchán breá, os cionn ocht míle leathanach, ó bhunscoileanna Chorca Dhuibhne, a bhuíochas sin do dhíograis agus d'éirim na múinteoirí, dá ndaltaí, agus do mhuintir gach baile is paróiste sa leithinis, a bhí báite i dtobar an traidisiúin béil, agus a shaothraigh le fonn ar an scéim seo. Dar ndóigh, murach fís agus cur chuige ceannródaithe 'Scéim na Scol', Séamas Ó Duillearga agus Seán Ó Súilleabháin, ní bheadh an cnuasach saibhir seo againn in aon chor.

Tá an Togra Béaloidis ag tógaint ar an mbunsraith fhónta a cuireadh síos os cionn trí fichid bliain ó shin.

An Togra Béaloidis i mBunscoileanna Chorca Dhuibhne

Sa bhliain 1991 cuireadh tús leis an Togra Béaloidis i dhá bhunscoil déag i nGaeltacht Chorca Dhuibhne. Ba é ár n-aidhm gnéithe de insint bhéil thraidisiúnta na dúiche d'ionramháil agus a shní isteach i múineadh an churaclaim bhunscoile ar bhonn structúrtha. Bheadh béim ar leith ar an scéal agus ar ealaín na scéalaíochta sa phróiseas forásach seo, agus chuireamar romhainn pacáistí oideachais bunaithe ar an ngníomh fiontraíochta seo a chur i gcló mar léiriú ar ár saothar.

Beartaíodh feidhm a bhaint as ábhar béaloidis ó Bhailiúchán na Scol, Corca Dhuibhne, mar bhunchloch don Togra Béaloidis i dtús báire, le caoinchead Cheann Roinn Bhéaloideas Éireann ag an am, Bo Almqvist. Tá an t-ábhar béaloidis seo a bailíodh faoi 'Scéim na Scol' an-oiriúnach do mhúineadh churaclam leanbhlárnach bunscoile an lae inniu, toisc gur scéalta iad a bhformhór a bhaineann le tímpeallacht an linbh.

An cur chuige

Cuireadh Bailiúchán na Scol ó Chorca Dhuibhne ar fáil do na múinteoirí. Deineadh clár ábhair ar an mbailiúchán a fhorbairt, mar chúnamh do na múinteoirí chun scéalta oiriúnacha ón mbailiúchán a aimsiú go saoráideach dá ranganna. Roghnaíodh téamaí, tugadh treoirlínte, agus roinneadh na céadta scéal ón mbéaloideas áitiúil ar na múinteoirí thar thréimhse ceithre bliana. Eagraíodh ceardlanna scéalaíochta go rialta leis na múinteoirí agus leis na daltaí sna scoileanna le linn na tréimhse úd. Thástáil na múinteoirí scéalta agus modhanna ionramhála scéaltóireachta lena ranganna, agus de réir a chéile tháinig forás ar an bpróiseas.

Tionóladh ócáidí scéalaíochta go rialta sna scoileanna agus i dTeach Siamsa na Carraige chun an chaoi a thabhairt do na scéalaithe óga a gceird a chleachtadh. Ina theannta sin bhí sé de phribhléid ag an nglúin óg Bab Feiritéar – an sárscéalaí a fáisceadh as tobar na scéaltóireachta le linn a hóige – a chlos agus a cuid scéalta á eachtraí aici go beodhúil líofa dóibh.

Ansan, roghnaíodh na scéalta don bhfoilseachán seo, agus deineadh taifeadadh ar insintí na scéalaithe; tá breis is tríocha guth muintire le clos ar *Scéilín ó Bhéilín!*

Ar deireadh, cuireadh claochlú cruthaitheach ar na hinsintí le ceol, cnagrithimí agus seachfhuaimeanna, le súil go dtabharfaidh a leithéid brí bheise do rithimí nádúrtha na teanga is do thaghdanna athraitheacha na scéalta, ionas go saibhreofaí tuiscint agus taitneamh na taithí éisteachta don éisteoir óg.

Scéalaíocht sa churaclam
Aithnítear feidhm theagaisc agus oiliúna na scéalaíochta go traidisiúnta i mbunscolaíocht na hÉireann. Leagtar béim ar an gcumarsáid i gCuraclam 1999, curaclam atá á chur i bhfeidhm sna bunscoileanna faoi láthair. Is iad **éisteacht** agus **labhairt** dhá mhórshnáith na cumarsáide. Cruthaíonn an t-ábhar scéalaíochta i *Scéilín ó Bhéilín* bunchloch fhónta do na rang-bhuíonta éagsúla, a chuirfidh ar chumas na bhfoghlaimeoirí óga a bheith rannpháirteach san éisteacht agus san insint ar bhonn cruthaitheach, taitneamhach, ach fós beidh an t-iomlán bunaithe ar scéaltóireacht thraidisiúnta na muintire.

Tugaimid téacsanna na scéalta anseo, chomh maith leis na hinsintí taifeadta, mar thacaíocht agus mar spreagadh do litearthacht na bhfoghlaimeoirí óga i léamh na Gaelainne. Tá sé léirithe i dtriail chuimsitheach gur léigh páistí leabhar Gaeilge a raibh ábhar éisteachta leis níos minice ná leabhar leis féin, gur fearr an tuiscint a bhí acu, gur líofa a luas léitheoireachta agus gur tháinig feabhas ar a gcruinneas nuair a bhí siad ag léamh os ard ón leabhar a raibh téip leis, (Hickey agus Ó Cainín, 2003).

Ba í an litearthacht bhéil amháin oidhreacht fhormhór ár muintire a d'imigh romhainn, anuas go dtí céad bliain nó mar sin ó shin, roimh ré an oideachais fhoirmeálta mar is eol dúinne é. Déantar an dá shraith úd a nascadh le chéile i *Scéilín ó Bhéilín* chun an litearthacht bhéil is an léitheoireacht a fhorbairt in éineacht ar bhonn siamsa is súgartha.

An scéalaíocht

Gníomh cruthaitheach is ea an scéalaíocht nuair a instear scéal le guth is gothaí d'éisteoir, nó d'éisteoirí.

Leanaí ag éisteacht le scéalta traidisiúnta

Tá éisteacht le nó léamh scéalta traidisiúnta tábhachtach i slite éagsúla

- Tagann an leanbh óg ar dhomhan na samhlaíochta, na mothúchán is na litríochta den chéad uair trí thaithí scéalaíochta i suíomh slán sábháilte.

- Spreagtar an fhorbairt sa chruthaitheacht, agus cothaítear oscailteacht do fhéidearthachtaí iomadúla eile.

- Cothaítear nasc idir an leanbh agus an stair.

- Cuireann an ghlúin óg aithne ar phatrúin insintí ó bhéal tré bheith ag éisteacht go leanúnach le scéalta traidisiúnta a thugann taitneamh dá gcluasa.

- Forbraítear cumas éisteachta an linbh.

- Tumadh sa Ghaelainn atá i gceist leis na scéalta seo, agus, dar ndóigh, cuidítear le forbairt foclóra chomh maith.

- Cuirfidh an leanbh aithne ar na nathanna traidisiúnta i dtús, i gcorp agus i ndeireadh na scéalta.

- Spreagfaidh na hinsintí cruthaitheacha ag cainteoirí dúchasacha ar na scéalta traidisiúnta i *Scéilín ó Bhéilín* an ghlúin óg chun a gcumas féin sa teanga agus sa scéaltóireacht a fhorbairt.

- Cothóidh plé ar eachtraithe, ar phearsana agus ar shnáitheanna na scéalta forbairt i bhfoghlaim, i samhlaíocht agus i mothúcháin na leanaí.

- Ar deireadh, guímid go gcothóidh na hinsintí seo féidearthachtaí cruthaitheacha éagsúla ach, thar aon ní eile, go spreagfaidh sé na leanaí a bheith rannpháirteach sa phróiseas scéalaíochta, mar scéalaithe iad féin, ag éisteacht leis na scéalta i dtús báire agus á n-athinsint agus á n-athchruthú i gcaidreamh lena n-éisteoirí ar ball.

An ócáid scéaltóireachta ar scoil

Seo a leanas cuimhní an scéalaí Bab Feiritéar ar an ócáid scéaltóireachta i ranganna na naíonán agus í féin ar scoil suas le ceithre fichid bliain ó shin:

Nuair a chuas ar scoil, is í an múinteoir a bhí agam insna ranganna beaga ná Bríd Ní Lúing ó Bhaile an Fheirtéaraigh. Bhí sí siúd fé mar a bheadh máthair linn. Bhímis cruinnithe timpeall uirthi agus í suite le hais na tine agus í ag insint scéalta beaga dhúinn.

Is mór an tairbhe an chaoi a chruthú do leanaí sa seomra ranga agus ag baile chun éisteacht, plé agus athinsint a dhéanamh ar scéalta traidisiúnta go rialta. Chuige sin:

- Is fiú suíomh scéalaíochta a chruthú le cathaoir ar leith don scéalaí agus na leanaí a bheith cruinnithe mórthimpeall chun comhthéacs compordach a cruthú. D'fhéadfaí coinneal scéalaíochta a lasadh freisin mar lóchrann do thráth scéaltóireachta sa rang nó in am soip ag baile.

- Is cúnamh é sainfhoclóir an scéil a chíoradh roimh ré chun go dtuigfeadh na héisteoirí comhthéacs an scéil.

- Is fearr insint nó seinnt leanúnach a dhéanamh ar an scéal gan iomarca cur isteach chun focail nó frásaí a mhíniú, agus taispeántar na pictiúir in am cuí. Pé scéal é, ní gá go dtuigfeadh an t-éisteoir gach focal, mar gur minic a thuigfí an bhrí ó chomhthéacs an scéil.

- Más gá briseadh a bheith san insint, is fearr é a dhéanamh ag fosadh sa scéal, mar a athraíonn an scéal ó radharc amháin go radharc eile. D'fhéadfaí ceist a chur ar na héisteoirí ag an bpointe seo de scéal tuar a dhéanamh faoi cad a tharlóidh amach anseo sa scéal.

Cíoradh an Scéil: iar-éisteacht

Tá réimse straitéisí ar féidir leas a bhaint astu chun scileanna éisteachta scéil an dalta a thástáil agus chun nádúr is déanamh an scéil thraidisiúnta a chíoradh, mar a leanas:

- **Ceisteanna a fhreagairt**;
  Cé atá i gcoimhlint le chéile sa scéal?
  Cé hé laoch an scéil?
  Cé hé an bithiúnach?
  An bhfuil cúntóir sa scéal?

  Snáithe an scéil á dtabhairt chun cuimhne;
  Cad a thárla i dtús, i gcorp agus i ndeireadh an scéil?
  Cén ghné den scéal is fearr a thaitin libh?
  Cén guth is fearr leat?
  Cad iad na fuaimeanna a chuaigh i bhfeidhm oraibh?

An féidir leat iad a aithint?

Cad é buaicphointe an scéil?

An gcuireann an scéal seo aon scéal eile atá cloiste nó léite agat i gcuimhne duit?

Cén chosúlacht atá eatarthu?

Scileanna éisteachta agus insinte (gníomhaíochtaí buíne)

Fíricí an scéil á dtabhairt chun cuimhne

Roinntear na leanaí i mbuíonta beaga agus ceaptar ceannaire ar gach buíon chun cuntas a choimeád ar thuairimí na buíne agus na ceisteanna seo a leanas á bplé:

Ainmnigh príomhphearsa an scéil seo.

Luaigh gníomh amháin a dhein pearsa sa scéal.

Déan cur síos ar shonra a thagraíonn do shuíomh an scéil.

Conas ar chaith na pearsana lena chéile?

Ar mhaith leat bualadh leo?

Cé a bhí i gcoimhlint lena chéile?

Cé aige a bhí an lámh in uachtar ag deireadh an scéil?

Cén claochlú nó athrú a tháinig ar phearsana sa scéal tar éis na n-eachtraithe a bhain dóibh?

Brí á baint as gníomhaíocht an scéil

Iarr ar na daltaí bunbhrí agus teachtaireacht an scéil a phlé.

Iarr ar na daltaí iad féin a shamhlú mar charachtar sa scéal.

An ndéanfaidís na roghanna céanna? Cén fáth lena rogha féin?

Teanga an scéil thraidisiúnta á cíoradh

Tá scéalta traidisiúnta ó bhéal ar maos le caint chraicneach: an teanga thíriúil, an t-athrá, an tsamhlaoid, an meafar. Bíonn a bhlas, a fhuaim agus a rithim féin ag gach scéal. Aithnítear é seo i bhfuaimeanna agus i rithimí na teanga sa scéal. Is minic a chuirtear patrún na n-eachtraí sa scéal traidisiúnta in iúl le loinneog rithimeach is le frása athráite, m.sh.

'Ó, mo dhá chluais a chuala é, mo dhá shúil a chonaic é, ar bhun mo phrompa thiar a buaileadh é, agus dá mba chloch mhór é, bhíos marbh ...' (Cearc an Phrompa).

nó le ruthag cainte, i.e.

Bhí suaimhneas ag na gabhair as san amach, agus mhaireadar go síoch grách i bhfochair a chéile gan cíos, cás, ná cathú. (An Gabhairín Riabhach Rábach Rudaire).

Is fiú go mór an ghné seo den scéalaíocht a chíoradh go mion leis na leanaí mar thaca le sealbhú na teanga, toisc gur don chluais agus don chaint a múnlaíodh na scéalta seo ó thús. Ina theannta sin, foghlaimeoidh na leanaí struchtúir ghramadaí na teanga i ngan fhios dóibh féin agus iad ag éisteacht le dul dúchasach na cainte sna hinsintí seo.

Seo roinnt moltaí:

- Focail ar leith a thaitníonn leis na leanaí a aithint agus a athrá.
- Línte comhrá a théann i bhfeidhm orthu a mheabhrú.
- Frásaí a bhfuil athrá orthu a thabhairt chun cuimhne.
- Tús agus deireadh an scéil a iniúchadh.
- Athchoimre ar an scéal a dhéanamh.
- Focail is frásaí suntasacha an scéil a bhreacadh síos ar phár nó ar luaschártaí chun póstaeir a dhéanamh, nó mar thacaíocht don athinsint ar ball.

Scéalta á n-insint

Seo cuimhní Bhab Feiritéar ar conas a thosnaigh sí féin ag scéaltóireacht agus í fós ina gearrchaile.

> Bhíodh bothánóg (bothán súgartha) agam féin agus ag mo pháirtí Máirín Ní Dhálaigh. Chuirimist deidimíní beaga isteach idir na clocha i mbinn tí nó i mbinn stábla, agus dheinimis saghas tigín beag, dar linn, timpeall air. Bheinnse suite ansúd ar chathaoir, bheadh seáilín snaidhmthe ar mo cheann agus aniar ar m'ucht agus sciorta mór fada orm agus seanadhúid i mo dhorn agam, agus bheadh Máirín ar fuaid an tí ag déanamh cúram an tí, agus mise ag scéaltóireacht agus ag seanchaíocht di. Ansan a tuigeadh dom den chéad uair go raibh dúil éigin insa scéalaíocht agus insa tseanchas agam.

Le linn do leanaí insint a dhéanamh ar scéalta traidisiúnta agus pearsanta cothaítear

- a muinín sa teanga labhartha
- a gcumas in eagar a chur ar struchtúr scéil agus rogha foclóra á dhéanamh acu.

Ní foghlaim scéil de ghlanmheabhair atá sa phróiseas seo. Foghlaimíonn na leanaí teanga shaibhir, rithimiúil na scéalta i ngan fhios dóibh fhéin, geall leis, toisc gur athinsint ar shraith eachtraithe le líne láidir scéalaíochta a bhíonn i gceist go minic sa scéal traidisiúnta.

Scéal á thabhairt chun chuimhne (don insint)

Seo mar a thugann Bab Feiritéar scéal chun cuimhne le linn na hinsinte di:

> Nuair a thosnaímse ag insint scéil, pictiúir a chím agus pictiúir a leanaim, mar shampla, Cearc an Phrompa, chím an chearc, chím an cnó beag ag titim anuas uirthi, chím í ag rith agus ag rá: 'Ó, Dia le m'anam, tá an t-aer agus an talamh titithe ar a chéile.'

Ní dhéanann an scéalaí athinsint focal ar fhocal nó abairt ar abairt ar a chuid scéalta ó insint amháin go hinsint eile, de ghnáth. Bíonn éagsúlacht ar gach insint ag Bab Feiritéar, cé nách éagsúlacht fhánach í, mar nach n-athraíonn focail agus frásaí a bhaineann le ceartlár na scéalta ó insint amháin go hinsint eile aici. B'fhiú go mór leaganacha éagsúla den scéal céanna a roinnt leis na scéalaithe óga, in am tráth, chun an tuiscint seo a chur abhaile orthu. (Féach *Ó Bhéal an Bhab*, 117-121 agus 147-150).

Is insint úr agus cruthú úr le lucht éisteachta úr gach insint. Caithfear díriú ar réimse straitéisí a chothóidh tuiscint ar phatrún, ar struchtúr, ar shnáithe, agus ar na pearsana sa scéal. Tacóidh na moltaí seo leis an scéalaí óg an scéal atá le hinsint a mheabhrú.

Straitéis chun scéal a mheabhrú

Clárscéal

- Caithfidh an scéalaí óg pictiúir an scéil a chruthú ina aigne. Is mór an cúnamh clárscéal chun sraith eachtraithe scéil a dhaingniú in aigne an scéaltóra. Chuige sin, filltear bileog chun ceithre nó sé bhosca a chruthú ar a dtarraingítear príomhphictiúir an scéil. Cruthaíonn an t-athchoimre pictiúrtha seo ord, struchtúr agus tacaíocht chuimhne don insint.

Scéal ar léarscáil

- Is fiú suímh an scéil a bhreacadh chun cúrsa an laoich a rianadh. Tugann an léarscáil cuntas ar chasán na n-eachtraithe sa scéal. Is fiú príomhfhocail, nathanna agus foirmlí cainte a chur san áireamh chomh maith. Tá an ghníomhaíocht seo an-oiriúnach d'obair bhuíne, agus tugtar an chaoi do leanaí a dtuiscint ar struchtúr an scéil a roinnt ar a chéile.

Achoimre ar shainfhoclóir an scéil

Is féidir athchoimre ar shainfhoclóir an scéil a chruthú go leanúnach chun míreanna éagsúla an scéil a thabhairt chun cuimhne. Straitéisí iad seo a chuirfidh ar chumas an linbh:
- ainilís a dhéanamh ar chomhdhéanamh an scéil
- sraith na n-eachtraithe chun an scéal a thabhairt chun cuimhne
- eolas maith a chur ar an scéal.

Athinsint scéil

Is fiú go mór éagsúlacht deiseanna neamhfhoirmiúla a chruthú do na scéalaithe óga chun scéalta a insint:
- chun go raghaidís i dtaithí ar ghuth a thabhairt do scéal
- chun cruth agus beocht a thabhairt don scéal san insint
- chun taithí a fháil ar éisteoirí a bheith acu dá n-insintí.

'Bíonn dhá insint ar gach scéal'

Moltar straitéis anseo a thacóidh le hinsintí ó bhéal a eagrú i mbeirteanna nó i ngrúpaí.

- Is fearr **mír** nó míreanna an scéil a athinsint, i dtús báire, seachas tabhairt faoin scéal ar fad in éineacht. Sa tslí seo tabharfar an deis do na leanaí ar fad sa bhuíon dul i bpáirt le chéile san éisteacht agus san insint, chun a muinín mar scéalaithe a chothú.

- Ní hé an cruinneas an ghné is tábhachtaí sa phróiseas seo. Is tábhachtaí i bhfad go mbeifí **rannpháirteach sa phróiseas** ar bhonn cruthaitheach taitneamhach.

I mbeirteanna

Tar éis do na leanaí an scéal a chlos agus a phlé, gníomhaídís i mbeirteanna mar 'scéaltóir agus éisteoir', agus malartaídís na rólanna de réir mar a théann an athinsint ar aghaidh. Sa tslí seo gheobhaidh an bheirt an deis ar éisteacht agus ar insint ar scéil. Faoin múinteoir atá sé an comhartha a thabhairt go bhfuil sé in am malartú páirte a dhéanamh.

I mbuíonta

Roinneadh an múinteoir an rang i dtrí bhuíon. Insíodh an múinteoir tús, lár agus deireadh an scéil do na buíonta éagsúla. Tagadh leanbh as gach buíon le chéile ansin chun an scéal iomlán a insint in éineacht.

Mar rang

Má insíonn an múinteoir scéal don rang is féidir leis na leanaí é a athinsint i scéal ciorcail. Téann insint an scéil ó bhéal go béal sa ghníomhaíocht seo. Insíonn gach leanbh abairt an duine, nó eachtra ar leith an duine.

Siombal scéil

Is fiú feidhm a bhaint as siombal scéil mar chomhartha go bhfuil an scéal á thabhairt ar aghaidh go dtí an chéad scéalaí eile. Bíodh baint ag an gcomhartha leis an scéal féin, m.sh. cnó don scéal 'Chearc an Phrompa'.

Toradh an phróiseis scéalaíochta

- Cothaíonn na deiseanna scéalaíochta neamhfhoirmiúla seo muinín na leanaí mar scéalaithe.

- Faigheann na daltaí taithí ar éisteacht agus ar insint scéil, agus fásann a muinín sna scéalta, sna téamaí, agus sna ceisteanna a phléitear iontu.

- Thar aon ní eile, tugann an athinsint an chaoi do na scéalaithe óga scéalta a chíoradh go cruthaitheach.

Stíl scéaltóireachta

Is beag duine nach n-insíonn a scéal féin dá mhuintir nó dá dhlúthchairde. Ar an taobh eile, áfach, is mó duine ná beadh sé de mhisneach aige scéal a eachtraí do bhuíon mór éisteoirí. Ceird í sin a chothaítear de réir a chéile le taithí agus le treoir. Fásann scéal le gach insint.

Tá a stíl scéaltóireachta féin ag gach scéalaí, agus dá réir sin is mó stíl scéalaíochta ann. É sin ráite, seo a leanas roinnt moltaí don scéalaí óg.

- Is é an scéal an ghné is tábhachtaí ar fad. Má thaitníonn an scéal leis an scéalaí óg, seans maith go mbeidh fonn air é a dh'aithris.

- Tá a ghuth féin ag gach scéal. Is é an dúshlán ná an guth cuí a aimsiú don scéal.

- Bíodh anam agus dath sa ghuth chun brí agus éirim a thabhairt don scéal.

- Ná bíodh an insint leadránach.

- Is fiú geáitsí beaga agus gluaiseachtaí teoranta an chinn nó na lámha d'úsáid chun pictiúir an scéil a dhaingniú. Ach cuimhnigh **nach** aisteoireacht atá i gceist sa scéaltóireacht.

- Seachain iomarca áibhéile sa ghuth nó sa gheáitsíocht, ar eagla teacht salach ar anam an scéil.

Gníomhaíochtaí eile ag eascairt as an scéalaíocht

- Taifeadadh cluaise nó físteipe a dhéanamh d'insintí na leanaí nó den scéalaí fásta áitiúil, le seinnt ar ais, agus le cur i dtaisce níos déanaí, mar chuntas ar na hinsintí a deineadh.

- Fiafraigh de na leanaí an bhfuil an scéal úd ar eolas acu ag baile, agus má tá, an leagan sin a insint ar ais ar scoil.

- Iarr ar na daltaí mír eile nó críoch úr a chur leis an scéal.

- Conas a shamhlófaí an scéal do na daltaí dá mbeadh sé suite sa lá atá inniu ann?

- An scéal tré shúile phearsa ar leith sa scéal a scríobh.

- Scéaldráma nua-aimseartha a bhunú ar an scéal.

- Agallamh beirte nó sceitse a bhaint as radharc sa scéal.

Ócáidí scéalaíochta

Seo a leanas cuimhní Bhab Feiritéar ar oíche áirneáin le linn a hóige:

> Is í an chuimhne atá agam ar an scéaltóireacht inár dtigh féin ná le linn séasúr na scéalaíochta, ó Shamhain go hearrach, go ndéarfaí an Choróin go luath san oíche d'fhonn a bheith ullamh don gcomhluadar a bhí le teacht. Bhíodh greadhnach de thine mhóna adaithe, agus is cuimhin liom an seanadhream suite timpeall ag scéaltóireacht, tobac agus píp acu, solas lagbhríoch ag teacht as lampa beag íle a bhíodh crochta ar thaobh an fhalla. Tosnaítí leis an dtobac, agus ansan bheadh eachtra ag duine agus scéal ag duine eile, agus iad ag baint na bhfocal as bhéal a chéile.

Is fiú go mór ócaid scéalaíochta a bheith mar sprioc ag múinteoir, tuismitheoir nó stiúrthóir dá scéalaithe óga, ag ceanntéarma – ar scoil, cois teallaigh, sa leabharlann áitiúil, nó le linn féilte áitiúla in ionad siamsaíochta nó ar ardáin náisiúnta cosúil le Slógadh (mar a bhíodh sé), nó ag Oireachtas na Gaeilge.

Níl éinní is fearr ná cuireadh a thabhairt do scéalaí aitheanta áitiúil don ócáid scéalaíochta chun blaiseadh a fháil ar stór scéalta is ar stíl insinte ar leith, mar eiseamláir do na scéalaithe óga.

Is mór an cúnamh na scéalta a bheadh le n-aithris ag an aoi-scéalaí a bheith pléite nó léite roimh ré ag na leanaí, dá bhféadfaí a leithéid a eagrú (má cheaptar gur gá a leithéid a dhéanamh). Chinnteodh san gur fearr a thuigfeadh na héisteoirí óga na scéalta úd nuair a bheidís á n-aithris dóibh ag an scéalaí.

Cruthaíonn an ócáid scéalaíochta ardán don scéalaí óg le lucht éisteachta iomadúla, agus cothaíonn sé pobal scéalaithe ina theannta sin.

Scileanna scéaltóireachta
Réamhullmhú don insint

- Abair an scéal os ard leat féin ar dtús, agus eachtraigh ansan é do dhuine amháin.

Moltaí don insint féin
Cuimhnigh go n-iompraíonn an scéalaí an lucht éisteachta isteach i ndomhan an scéil atá á chruthú san insint, agus éagann an scéalaí as radharc, geall leis!

- Bí ar do shuaimhneas le linn tráth scéaltóireachta.

- Is cúnamh, b'fhéidir, réamhrá beag i dtaobh chúlra an scéil a thabhairt chun tacú le tuiscint an scéil.

- Is fiú foinse do scéil a thabhairt.

- Dírigh do radharc ar d'éisteoirí. Aithneoidh tú má tá an scéal ag dul i bhfeidhm orthu. Mura bhfuil, b'fhéidir go bhféadfá críoch níos tapúla a chur led scéal!

Féinmheasúnú an scéaltóra tar éis na hinsinte

- An raibh mé ar mo shuaimhneas le mo lucht éisteachta?

- Ar fhan an lucht éisteachta liom san insint?

- Ar éirigh liom pictiúir an scéil a leanúint san insint?

- Ar rith focail an scéil gan ró-stró liom?

- Ar thaitin insint an scéil liom?

- Ar airigh mé aon rud nua i dtaobh an scéil le linn na hinsinte?

Measúnú an éisteora

- An raibh teilgean nádúrtha ar ghuth an scéaltóra, agus an raibh sé le clos go soiléir?

- Ar thacaigh gothaí an scéaltóra leis an insint, nó a mhalairt?

- Ar choinnigh an scéal m'aire?

- Ar éirigh liom pearsana agus suímh an scéil a fheiceáil os comhair mo shúl amach?

Scéalaíocht i gcomhthéacs an churaclaim iomláin

Leanann féidearthachtaí iomadúla an scéalaíocht thraidisiúnta i gcomhthéacs an churaclaim bhunscoile.

- Tionscadal cartlainne a stiúradh, mar a ndéanfaí taifeadtaí cluaise nó fístéipe d'insintí na leanaí nó den scéalaí fásta áitiúil, le seinnt ar ais, le clárú agus le cur i dtaisce i gcartlann na scoile.

- Baineann scéaldrámaíocht feidhm as teicníochtaí éagsúla drámaíochta chun dul ag tóch sa scéal traidisiúnta tré thuiscint níos doimhne a bhaint as le rólaithriseoireacht, reofhrámaí, agus tob-chumadh.

- Cuireann finscéalta mórchuid de stair na hÉireann in iúl, tré phearsana a cheangal le heachtraithe stairiúla. Dúshlán ar leith an fhírinne a aithint ón bhfinscéalaíocht sa chomhthéacs seo.

- Is mó scéal mínithe sa bhéaloideas a thugann bunús ghné aiceanta nó logainm taobh tíre, nó a mhíníonn conas a fuair ainmhithe a dtréithe sa tsochaí réamheolaíoch.

- D'fhéadfadh scéalta inspioráid a chruthú do phíosa ceoil nó rince a chumadh a thabharfadh brí do smaointe a bheadh teibí go dtí sin.

- Is fiú portráid chóirithe a chruthú i réimse na healaíne a chothóidh nasc idir ghnéithe de fhinscéal áitiúil, suíomh an scéil, cuimhne na muintire, agus aghaidh an scéalaí.

- Uirlis thábhachtach í an scéal chun traidisiún creidimh na muintire a chur i dtuiscint na leanaí, maille le traidisiúin chreidimh pobail eile.

Féach arís *Ó Bhéal an Bhab, Cnuas scéalta Bhab Feiritéar,* 53-55, nó dlúthdhiosca 1, rian 1.

Ábhar Léitheoireachta

B. Almqvist agus R. Ó Cathasaigh (eag.): *Ó Bhéal an Bhab, Cnuas-scéalta Bhab Feiritéar,* Indreabhán, 2002.

O. Egan, 'In defence of traditional language: Folktales and reading texts', i *The Reading Teacher,* Delaware, 1983, 37, 3, 228-233.

E. Garvie, *Story as Vehicle,* Philadelphia, 1990.

T. Grainger, *Traditional storytelling in the primary school,* Warwickshire, 1997.

T. Hickey, 'Leisure Reading in a Second Language: An experiment with audio-tapes in Irish', i *Language, Culture, and Curriculum,* Baile Átha Cliath, 1991, 4, 2, 119-131.

T. Hickey agus P. Ó Cainín 'Léitheoirí Óga na Gaeilge: Cothú agus Cabhair', R. Ní Mhianáin (eag.), *Idir Lúibíní,* Baile Átha Cliath, 2003, 25-42.

S. Ó Catháin agus C. Uí Sheighin, *A Mhuintir Dhú Chaocháin, Labhraigí Feasta,* Indreabhán, 1987, xvii-xxiii.

C. Ó Sé, *Traidisiún na Scéalaíochta i gCorca Dhuibhne,* Baile Átha Cliath, 2001.

Rialtas na hÉireann, *Curaclam na Bunscoile, Gaeilge,* Baile Átha Cliath, 1999.

Rialtas na hÉireann, *Gaeilge: Treoirlínte do Mhúinteoirí,* Baile Átha Cliath, 1999.

B. Rosen, And None of it Was Nonsense, *The Power of Storytelling in School,* London, 1988.

P. Ryan, *Storytelling in Ireland: A Re-awakening,* Verbal Arts Centre, 1995.

G. Zimmermann, *The Irish Storyteller,* Dublin, 2001.

Dlúthdhiosca, *Everlasting Voices, An introduction to the art of storytelling:* Verbal Arts Centre, 2000.

BUÍOCHAS

Tá comaoin curtha ag mórán Éireann daoine ar an bhfoilseachán seo. Gan saothar agus saibhriú na meithleacha iomadúla, ní sheolfaí *Scéilín ó Bhéilín*. Buíochas ar leith d'fhoirne múinteoirí ó bhunscoileanna Chorca Dhuibhne a bhí rannpháirteach sna ceardlanna scéalaíochta, a dhein promhadh ar na scéalta agus a stiúraigh an ghlúin óg i mbun scéaltóireachta.

Scoil Áth Chaisle: Áine Uí Ghealbháin
Scoil Chaitlín Naofa, Ceann Trá: Máire Ní Fhlatharta, Mícheál Ó Murchú, Áine Uí Chathasaigh, Eibhlín Uí Uallacháin
Scoil Chill Mhic an Domhnaigh: Seán Ó Catháin, Eilín Uí Lúing
Scoil an Chlocháin: Niamh Ní Dhubhda, Caitlín Uí Dhubhda, Áine Máire Uí Mhurchú
Scoil an Fheirtéaraigh: Nóirín Ní Chrualaoich, Máire Ní Mhaoileoin, Máirín Uí Ghrífín, Ann Maria Uí Shé, Liam Ó Rócháin
Scoil an Ghleanna: Gobnait Uí Chonchubhair, Seán Ruiséal
Scoil Éamainn Rís, an Daingean: Máire Uí Fhlaithimh, Kay Uí Shúilleabháin, an Bráthair Mícheál Ó Catháin
Scoil Eoin Baiste, Lios Póil: Nuala Mhic Ghearailt, Áine Uí Ghrífín, Maria Uí Ghrífín, Seán Ó Luing, Mícheál Ó Móráin
Scoil Naomh Eirc: Máirín Ní Laoithe, Seosamh Ó Súilleabháin, Alice Ruiséal
Scoil Naomh Iósaf, an Daingean: An tSiúr Máire Tarrant
Scoil Mhaoilchéadair: Mai Uí Bhruic, Clár Uí Loingsigh, Eibhlín Uí Iarlaithe
Scoil Naomh Gobnait, Dún Chaoin: Máirín Ní Bhroin, Mícheál Ó Dubhshláine

Moladh agus buíochas don ghlúin leanaí a bhí páirteach sa Togra Béaloidis, agus go háirithe dóibh siúd a bhfuil a nguthanna le clos ar *Scéilín ó Bhéilín*, agus, dar ndóigh, dá múinteoirí, a stiúraigh i dtreo na foirfeachta go foighneach iad.

Buíochas leo seo a leanas as a gcomhairle agus a gcabhair:
Isabel Bennett, Pádraic Breathnach, Tim Crean, Jim Coleman, Seán de Brún, Labhrás Mac Seoin, Marguerite Hanley, Eileen Madden, Evan Morrisey, Caitríona Ní Chathail, Bríd Ní Chonchúir, Máire Ní Neachtain, Úna Nic Éinrí, Aisling Ní Shúilleabháin, Tadhg Ó Bric, Seán Ó Cathalláin, Seán Ó Dubhda, Dáithí Ó Sé (Ceann Trá), Máire Uí Dheargáin, Mike Ryan, Brendan Smyth, Liz Weir.

Caitlín Ní Dhubhda, Aoife Ní Shéaghdha agus Cáitín Uí Bheaglaoich a d'fhorbair clár ábhair ar Bhailiúchán na Scol Chorca Dhuibhne, le treoir ó Phádraig Ó Héalaí, agus le cúnamh ó thrí scéim FÁS idir 1992 agus 1995, faoi choimirce Chomharchumann Forbartha Chorca Dhuibhne is i bpáirt le Leabharlann an Chontae, Trá Lí.

Frank Flanagan, Gobnait Uí Chonchubhair, Siobhán Mhic Gearailt, Áine Mhic an Uladh, agus Úna Uí Rócháin, a dhein saibhriú ar ár saothar tar éis dóibh éisteacht leis na taifeadtaí is dréachtaí a léamh le linn a chruthaithe; do Phádraig Ó Fiannachta, a shoiléirigh roinnt pointí téacsa; agus do Shéamas Ó Brógáin, a dhein moltaí fónta tar éis dó an téacs a léamh ó thús go deireadh.

Buíochas leo seo a thacaigh le taifeadadh na bhfuaimeanna:
Áine Uí Dhubhshláine, an Ghráig, Dún Chaoin: guthanna na n-éanlaithe feirme, rian 01, 03 (uimhreacha thíos); Muintir Shíthigh, Baile Eaglaise: gnúsarnach na muc, 01; An tSiúr Monica Ní Chonghaile: clog an Aifrinn i gColáiste Mhuire Gan Smál, 02; Muintir Mhaoileoin, Com Dhíneol: Máire is Eibhlín ag crú na mba, 02, 07, Christíne le meigeallach na ngabhar, 04; Tomás Ó Muircheartaigh, Baile na Saor, Lios Póil: buillí an cheapoird, 02; Michael Buckley, Limerick Harriers, Craobh Chumhra: glaoch an tsealgaire, amhastrach an choin, 09; Liam Ó Cathasaigh, Páirc an Teampaill: géimneach na n-ainmhithe feirme, 01, 07; Beryl Carswell, Toddles Créche, Túr an Daill, Luimneach: crónán an linbh sa chliabhán, 09; Pádraig Ó Loingsigh, an Ghairbhtheanach: búrthaíl an tairbh, agus Maura Ní Néill, Clochán: cloig an Aifrinn, Séipéal Bhréanainn, an Clochán, 10; Amy Fitzgerald, Ros Uí Bhriain, Luimneach: sodar an chapaill, 01, 12; Mícheál Ó Maolchathaigh, a thug cúnamh le trealamh taifeadta arís is arís eile; Liam is Eoin Ó Cathasaigh, a thacaigh le taifeadtaí sa ghort.

Éanlaithe corraigh taifeadta le breacadh an lae sa Chorcach cois Trá Bige i Lios Póil, 11; agus torann na dtonn ó Thráigh Chathail i gCinnáird, 07.

Coláiste Mhuire Gan Smál, Ollscoil Luimnigh
Peadar Ó Croimín, Uachtarán an Choláiste.
An tSiúr Angela Ní Bhuigléir, Uachtarán go 1999.
David O'Grady, Stiúrthóir, CDU – Aonad Forbartha Curaclaim.
Mike Healy, Cathaoirleach, CRD – Coiste Taighde an Choláiste.
Ciarán R. Ó Broin, a chuir an síol i 1991 agus é mar Cheann ar Roinn an Oideachais.

Oidhreacht Chorca Dhuibhne, Baile an Fheirtéaraigh
Liam Ó Baráin, Cathaoirleach.
Máire Uí Shíthigh, Comhordaitheoir.

Comharchumann Forbartha Chorca Dhuibhne
Gearóid Ó Brosnacháin, Bainisteoir.
Tomás Mac Gearailt, Cathaoirleach.

Ionad Oideachais Chorca Dhuibhne, an Daingean
Gobnait Uí Chonchubhair, Stiúrthóir go 1998,
Éilín Uí Lúing, an stiúrthóir ó shin.

Ionad an Bhlascaoid Mhóir, Dún Chaoin
Mícheál de Mórdha, Bainisteoir.

Leabharlann an Chontae, Trá Lí
Kay de Brún, Leabharlannaí an Chontae.
Michael Costello
Jim Walsh

Eagraíocht na Scoileanna Gaeltachta
Tomás Ó Céilleachair, Stiúrthóir Réigiúnach.

FÁS, Trá Lí
Paddy Carlton
Jerry Horgan
George Wilson

Raidió na Gaeltachta, Baile na nGall
Jeaic Ó Muircheartaigh, Ceannaire Réigiúnach.
Tomás Mistéal, Teicneoir Fuaime, agus foireann uile an Raidió i mBaile na nGall, a thacaigh go tuisceanach le linn dúinn taifeadadh a dhéanamh ar ghuthanna na leanaí.

An Roinn Gnóthaí Pobail, Tuaithe agus Gaeltachta
Séamas Mac Gearailt, Stiúrthóir.

Roinn Bhéaloideas Éireann, An Coláiste Ollscoile, Baile Átha Cliath
Bo Almqvist, Ceann na Roinne go 2000, a thug cead feidhm a bhaint as an ábhar béaloidis ó Bhailiúchán na Scol Chorca Dhuibhne don Togra Béaloidis, agus Séamas Ó Catháin, Ceann na Roinne ó shin, as cead a thabhairt dúinn leaganacha de scéalta a fuarthas i lámhscríbhinní as cartlann na Roinne a chóiriú don bhfoilseachán seo.

Roinn na Lámhscribhinní, Leabharlann Choláiste na Tríonóide, Baile Átha Cliath
Bernard Meehan, Coimeádaí Lámhscríbhinní, agus Stuart Ó Seanóir, Leabharlannaí Cúnta, a chuir ar ár gcumas na foinn chuí as lámhscríbhinní Shéamais Goodman a chur i gcló sa bhfoilseachán seo.

Oireachtas na Gaeilge, Comórtais Liteartha

Ba é ár bpríbhléid, agus b'ábhar mór misnigh dúinn, gur bhronn Oireachtas na Gaeilge dhá dhuais ar iarrachtaí as an gcnuasach seo agus sinn i mbun an tsaothair i 2001.

Ar deireadh, ach ní chun deiridh, moladh agus buíochas do mo mhuintir féin as a dtacaíocht fhial dom le fada an lá agus mé i mbun an togra béaloidis: Gerardine, mo chéile; Liam, Eibhlín, Eoin, is Caitríona – ár muirear, a sheol ar chonair na scéaltóireachta traidisiúnta do leanaí mé; agus Kathleen, mo Mham, is Billy, mo Dhaid, beannacht Dé leis, as a ngníomh dóchais siúd an Ghaelainn a labhairt lena gclann.

Sin agaibh é *Scéilín ó Bhéilín* agus dícheall ár saothar!

Roibeard Ó Cathasaigh

NA RIANTA